W0190376

Hans-Günter Semsek, Lilly Nielitz-Hart, Simon Hart

CITY|TRIP
LONDON

Nicht verpassen!

8 National Gallery und National Portrait Gallery [M13]
In der National Gallery können die großen europäischen Meister des 14. bis 19. Jh. betrachtet werden und die National Portrait Gallery hat Porträts berühmter Engländer zu bieten (s. S. 54).

16 Westminster Abbey [M14]
Die Krönungskirche der englischen Monarchen birgt Tausende von Grabdenkmälern und Erinnerungstafeln (s. S. 59).

20 Buckingham Palace [L14]
Der Wohnsitz der Queen ist wohl einer der bekanntesten Orte der Stadt. Jeden Tag findet hier „The Changing the Guard", die Wachablösung, statt (s. S. 61).

21 British Museum [M11]
In diesem bedeutenden Schatzhaus kann man nicht nur Exponate aus aller Welt bestaunen, sondern auch herausragende Architektur (s. S. 62).

27 HMS Belfast [Q13]
Der 1938 in Dienst gestellte Kreuzer der Royal Navy unterstützte u. a. die Landung der Alliierten in der Normandie und ist heute als Museumsschiff zugänglich (s. S. 67).

31 Tower Bridge [R13]
Von den oberen Verbindungsstegen der Tower Bridge hat man einen prachtvollen Blick über die Themse und die Skyline der Metropole (s. S. 69).

33 Tower of London [R13]
Die royalen Kronjuwelen sind sicher die kostbarsten Schätze, die hier aufbewahrt werden, natürlich gibt es aber noch viel mehr zu sehen (s. S. 70).

35 London Eye [N14]
Vom größten Riesenrad Europas kann man London aus der Vogelperspektive entdecken (s. S. 72).

39 Tate Modern [P13]
Die in dem ehemaligen Kraftwerk Bankside Power Station untergebrachte Tate Modern zeigt eine der größten Sammlungen zeitgenössischer Kunst (s. S. 74).

40 Globe Theatre [P13]
Das originalgetreu wieder aufgebaute Theater kann besichtigt werden und bietet Theateraufführungen wie zu Shakespeares Zeiten (s. S. 75).

55 St. Paul's Cathedral [P12]
In der Flüstergalerie der berühmten Kuppel von Christopher Wrens Kathedrale kann man ein gehauchtes Wort noch 30 m weiter hören (s. S. 83).

Leichte Orientierung mit dem cleveren Nummernsystem
Die Sehenswürdigkeiten der Stadt sind zum schnellen Auffinden mit **fortlaufenden Nummern** versehen. Diese verweisen auf die ausführliche Beschreibung **im Kapitel „London entdecken"** und zeigen auch die genaue Lage **im Stadtplan**.

Inhalt

Exkurse zwischendurch

Praktische Reisetipps 103

Benutzungshinweise

City-Faltplan

Die im Buch beschriebenen Örtlichkeiten wie Sehenswürdigkeiten, Restaurants, Hotels, Cafés usw. sind im Kartenmaterial mit Symbol und Nummer eingetragen.

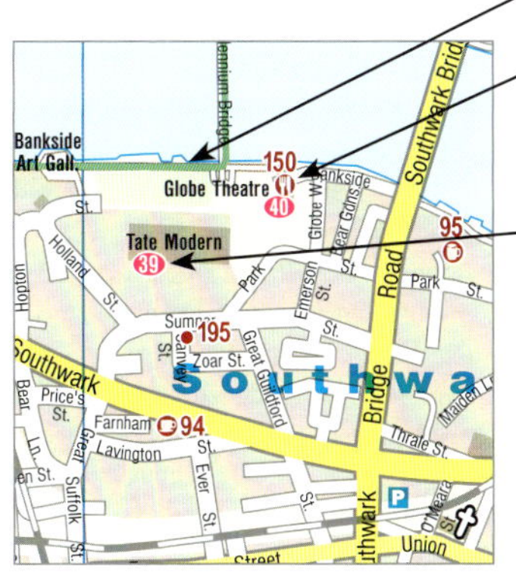

Bewertung der Sehenswürdigkeiten

★★★ auf keinen Fall verpassen

★★ besonders sehenswert

★ wichtige Sehenswürdigkeit für speziell interessierte Besucher

Orientierungssystem

Zur schnelleren Orientierung tragen alle Hauptsehenswürdigkeiten und Lokalitäten sowohl im Text als auch im Kartenmaterial die gleiche Nummer:

> Die farbige Linie markiert den Verlauf des Stadtspaziergangs (s. S. 8).

150 Mit Symbol und fortlaufender Nummer werden die sonstigen Lokalitäten wie Cafés, Geschäfte, Hotels, Infostellen usw. gekennzeichnet.

39 Mit einer fortlaufenden magentafarbenen Nummer sind die Hauptsehenswürdigkeiten gekennzeichnet. Steht die Nummer im Fließtext, verweist sie auf die Beschreibung dieser Sehenswürdigkeit im Kapitel „London entdecken".

[P13] In eckigen Klammern steht das Planquadrat im Kartenmaterial, in diesem Beispiel Planquadrat P13.

Ortsmarken ohne Angabe des Planquadrats liegen außerhalb unserer Karten. Sie können aber wie alle Örtlichkeiten in unseren speziellen Luftbildkarten auf der Produktseite dieses Buches unter www.reise-know-how.de oder direkt http://ct-london13.reise-know-how.de lokalisiert werden.

Impressum

Hans-Günter Semsek

CityTrip London

erschienen im
REISE KNOW-HOW Verlag Peter Rump GmbH,
Osnabrücker Str. 79, 33649 Bielefeld

© REISE KNOW-HOW Verlag
   Peter Rump GmbH 2009, 2010,
   2011, 2012
**5., neu bearbeitete und komplett
   aktualisierte Auflage 2013**
Alle Rechte vorbehalten.

ISBN 978-3-8317-2392-8
PRINTED IN GERMANY

Dieses Buch ist erhältlich in jeder Buchhandlung Deutschlands, der Schweiz,
Österreichs, Belgiens und der Niederlande.
Bitte informieren Sie Ihren Buchhändler
über folgende Bezugsadressen:

   Deutschland: Prolit GmbH, Postfach 9,
   D-35461 Fernwald (Annerod)
   sowie alle Barsortimente
   Schweiz: AVA Verlagsauslieferung AG,
   Postfach 27, CH-8910 Affoltern
   Österreich: Mohr Morawa Buchvertrieb
   GmbH, Sulzengasse 2, A-1230 Wien
   Niederlande, Belgien: Willems
   Adventure, www.willemsadventure.nl
Wer im Buchhandel kein Glück hat,
bekommt unsere Bücher auch über
unseren Büchershop im Internet:
www.reise-know-how.de

Aktualisierungsredaktion dieser Auflage:
   Lilly Nielitz-Hart, Simon Hart
Herausgeber: Klaus Werner
Lektorat: amundo media GmbH
Layout: Günter Pawlak (Umschlag),
   Klaus Werner (Inhalt)
Karten: Ingenieurbüro B. Spachmüller,
   amundo media GmbH
Druck und Bindung: Media-Print, Paderborn
Fotos: siehe Bildnachweis S. 142
Anzeigenvertrieb: KV Kommunalverlag
   GmbH & Co. KG, Alte Landstraße 23,
   85521 Ottobrunn, Tel. 089 928096-0,
   info@kommunal-verlag.de

Alle Informationen in diesem Buch sind
vom Autor und den Redakteuren mit größ-
ter Sorgfalt gesammelt und vom Lektorat
des Verlages gewissenhaft bearbeitet und
überprüft worden. Da inhaltliche und sach-
liche Fehler nicht ausgeschlossen werden können, erklärt der Verlag, dass alle
Angaben im Sinne der Produkthaftung
ohne Garantie erfolgen und dass Verlag,
Autor und Redakteure keinerlei Verantwortung und Haftung für inhaltliche und sach-
liche Fehler übernehmen. Die Nennung
von Firmen und ihren Produkten und ihre
Reihenfolge sind als Beispiel ohne Wer-
tung gegenüber anderen anzusehen. Qua-
litäts- und Quantitätsangaben sind rein
subjektive Einschätzungen des Autors bzw.
der Redakteure und dienen keinesfalls der
Bewerbung von Firmen oder Produkten.
Wir freuen uns über Kritik, Kommentare
und Verbesserungsvorschläge:
info@reise-know-how.de

Latest News

Unter **www.reise-know-how.de** werden
aktuelle Ergänzungen und Änderungen
der Autoren und Leser zum vorliegen-
den Buch bereitgestellt. Sie sind auf
der Produktseite dieses CityTrip-Titels
abrufbar.

Auf ins Vergnügen

003In Abb.: ws

London ist eine der aufregendsten Städte der Welt. Das wusste schon Benjamin Disraeli, Premierminister zur Zeit Königin Victorias, als er eines Tages ausrief: „London – a nation, not a city!" Und Dr. Samuel Johnson konstatierte lapidar: „Bist du Londons müde, dann bist du des Lebens müde, denn in London gibt es alles, was das Leben bieten kann."

London an einem Tag

Morgens

Für einen ersten **Stadtspaziergang** durch London fährt man mit der U-Bahn zur Waterloo Station. Hier an der South Bank erhebt sich das **Riesenrad London Eye** ㉟. Von hoch oben kann man den Ausblick auf die Stadt genießen und läuft dann über die Westminster Bridge auf die Nordseite der Themse, die von der beeindruckenden Fassade der **Houses of Parliament** ⑮ mit dem berühmten **Big Ben** (Elizabeth Tower) bestimmt wird. Gleich dahinter ragt die **Westminster Abbey** ⑯ auf. Die Straße Whitehall führt an der **Downing Street** ⑭ vorbei – Nr. 10 ist der Amtssitz des Premierministers – zu den **Horse Guards** ⑫, wo Offiziere mit Bärenfellmützen Wache halten. Whitehall mündet am **Trafalgar Square** ❼, dem Vorplatz der **National Gallery** ❽, einem der bedeutendsten Museen der Stadt. In der Galerie, ebenso wie in der gegenüber gelegenen Kirche St. Martin-in-the-Fields

gibt es gute **Cafés**, in denen man sich ausruhen und den Lunch einnehmen kann.

Mittags

Vom Trafalgar Square kann man über die Straße Pall Mall einen Abstecher zum **Buckingham Palace** ⑳, dem Wohnsitz der Queen, machen und sich unterwegs im **St. James's Park** ⑲ ausruhen. Wer den Palast nicht besichtigen möchte, gelangt von der U-Bahn-Station Green Park [L13] mit der Tube zur **St. Paul's Cathedral** ㊵ in der City of London. Von hier spaziert man über die **Millennium Bridge** [P12/13] wieder über die Themse und gelangt zur **Tate Modern Gallery** ㊴, die mit der größten Sammlung moderner Kunst in London aufwartet. An der Uferpromenade South Bank läuft man in Richtung Osten wieder zurück bis zur Westminster Bridge. Entlang des Ufers finden sich zahlreiche **Restaurants**, **Cafés** und **Pubs**, in denen man einkehren und sich ausruhen kann.

Abends

Rund um den **Leicester Square** ❾ und im angrenzenden **Soho** finden sich die großen Bühnen Londons, wo man die neusten Musicals, Comedy- oder Theaterstücke und Filme anschauen kann. Hier gibt es auch keinen Mangel an Restaurants, Bars und Klubs, die Live- oder DJ-Musik und andere Unterhaltung anbieten.

> *London ist nicht nur am Tag faszinierend*

< *Vorseite: Londons Skyline – immer ein beliebtes Fotomotiv*

Routenverlauf im Stadtplan
Der unter „London an einem Tag" beschriebene Spaziergang ist mit einer Linie im Stadtplan eingezeichnet.

011ln Abb.: hs

London an einem Wochenende

1. Tag

Morgens

Ausgangspunkt für eine Tour durch das West End ist der **Piccadilly Circus** ❺. Über Coventry Street und Haymarket ist schnell der **Trafalgar Square** ❼ erreicht, einer der bedeutendsten innerstädtischen Prachtplätze der Stadt, an dessen Nordseite die **National Gallery** ❽ aufragt. In Richtung Norden gelangt man zum **Leicester Square** ❾. Im Viertel zwischen diesem Platz, der Straße Haymarket und der Shaftesbury Avenue ist die Theaterdichte ungeheuer hoch, daher spricht man auch vom **Theaterland.** Wer abends eine Vorstellung besuchen möchte, kann am Leicester Square in der **Half Price Ticket Booth** (s. S. 110) gleich günstige Tickets erstehen.

Nach einem kurzen Spaziergang in Richtung Osten erreicht man **Covent Garden** ❿, in dessen Markt-

hallen Lokale und Geschäfte untergebracht sind. Drumherum sorgen Straßenmusiker, Gaukler, Akrobaten und Feuerschlucker für die richtige Atmosphäre.

Mittags

Für den Lunch wird man ohne Zweifel in **Covent Garden** den richtigen Platz finden. Über die Straße Strand gelangt man danach zurück zum Trafalgar Square. Von hier führt der Weg über die Straße Whitehall weiter ins Regierungsviertel. Die **Horse Guards** ⓬, wo berittene Offiziere Wache halten, sind immer von fotografierenden Touristen umlagert. Gegenüber erhebt sich das **Banqueting House** ⓭, das mit Deckengemälden von Rubens geschmückt ist. Vorbei an der **Downing Street** ⓮ – Nr. 10 ist der Amtssitz des Premierministers – erreicht man die **Houses of Parliament** ⓯ mit dem britischen Unter- und Oberhaus.

London an einem Wochenende

In der **Westminster Abbey** ⓰, der Krönungskirche der englischen Monarchen, erinnern Grabdenkmäler und Tafeln an Mitglieder des Königshauses und bekannte britische Persönlichkeiten. Für einen Besuch der Abtei, in der auch die Hochzeit von Prince William und Kate Middleton stattfand, sollte man mindestens eine Stunde einplanen.

Wer möchte, kann von hier aus über den Birdcage Walk oder direkt durch den **St. James's Park** ⓲ noch einen Abstecher zum **Buckingham Palace** ⓴, dem Wohnsitz von Queen Elizabeth II., machen.

Abends

Wer keinen Theaterbesuch geplant hat und schick dinieren will, sollte vorher reservieren. Ansonsten kann man sich auch einfach rund um **Covent Garden** ⓾ und den **Leicester Square** ❾ ins Geschehen stürzen oder auch an der **South Bank** entlangbummeln.

2. Tag

Morgens

Mit der U-Bahn gelangt man zur Westminster Bridge. Auf der Südseite der Brücke, an der South Bank, erhebt sich vor der London County Hall mit dem **London Aquarium**, dem **London Dungeon** (s. S. 37) und dem **London Film Museum** ❸❹ das **Riesenrad London Eye** ❸❺. Hier kann man von oben den Ausblick auf die Stadt genießen.

Anschließend bummelt man an der Uferpromenade Jubilee Walkway in Richtung Osten. Vorbei am **South Bank Centre** ❸❻ mit der Royal Festival Hall, der Hayward Gallery und dem National Theatre (die 2013/2014 umfassend renoviert werden, s. S. 72) gelangt man zur **Gabriel's Wharf** ❸❽.

Hier gibt es Kunsthandwerks- und Designerläden sowie zahlreiche Cafés für eine Pause. Vorbei am **Oxo-Tower** gelangt man zum Gebäude der **Tate Modern Gallery** ❸❾, einem ehemaligen Kraftwerk aus dem Jahr 1947, das zur Kunsthalle umgewandelt wurde. Die Galerie bietet mehrere Cafés, in denen man den Lunch einnehmen kann, und beherbergt die größte Sammlung moderner Kunst in London. Direkt vor der Galerie überspannt die **Millennium Bridge** die Themse. Die Brücke eröffnet einen Blick auf die Londoner City mit der **St. Paul's Cathedral** ❺❺. Wer einen Abstecher machen möchte, kann die Kathedrale gleich mitbesichtigen.

Mittags

Weiter am Südufer erreicht man bald den Bezirk **Southwark** mit dem **Globe Theatre** ❹⓿. Das ehemalige Theater William Shakespeares wurde originalgetreu rekonstruiert. Im einstigen Amüsierviertel Southwark gab es viele Gefängnisse, in denen man bereits für kleinste Fehltritte eingekerkert wurde. Eines der Zuchthäuser war das **Clink Prison** ❹❶, das heute ein Horrorkabinett beherbergt.

Ein Stückchen weiter sieht man die Reste des **Winchester Palace** ❹❷, in dem früher der Bischof residierte, der das Viertel verwaltete. Danach gelangt man zum St. Mary Overie Dock mit dem Segler **Golden Hinde** ❹❸. Der Dreimaster ist ein Nachbau des Schiffs von Sir Francis Drake aus dem Jahr 1577. Ein paar Meter weiter ragt der Kirchturm der ältesten gotischen Kirche Londons auf, der **Southwark Cathedral** ❹❹. Am Fuß der Kathedrale

> *Historische Einkaufsatmosphäre auf dem Borough Market* ❹❺

erstreckt sich der **Borough Market** ㊺ und um das Gelände haben sich einige gute **Restaurants** angesiedelt. Im Hintergrund ist das größte Hochhaus Londons, **The Shard**, zu sehen.

Abends

Am frühen Abend empfiehlt sich z.B. der Besuch einer Vorstellung im **Globe Theatre** ㊵. Danach bleibt noch Zeit für ein Abendessen in einem der zahlreichen Restaurants an der South Bank. Wahlweise kann man auch durch die East-End-Bezirke **Spitalfields**, **Shoreditch** und **Hoxton** bummeln. Hier gibt es Pubs und Café-Bars, in denen abends ein DJ auflegt oder eine Band spielt, und zahlreiche Klubs, wo man ins Nachtleben abtauchen kann.

3. Tag

Morgens

Bei der U-Bahn-Station **Monument** steht das gleichnamige Denkmal ㊼, das an das Große Feuer von London im Jahr 1666 erinnert. Südlich von hier überspannt die geschichtsträchtige **London Bridge** ㉖ die Themse und am Südufer erhebt sich das größte Hochhaus Londons, **The Shard** (310 m).

Biegt man hier nach links in die Tooley Street, gelangt man bald zur **Hay's Galleria** (s. S. 67), einer umgebauten Werftanlage mit Cafés und Restaurants. Sie führt wieder zum Themseufer, wo das Museumsschiff **HMS Belfast** ㉗ aus dem Zweiten Weltkrieg vor Anker liegt. Unweit von hier erhebt sich der Rundbau des hypermodernen Rathauses der Stadt, die **City Hall** ㉘, die von Sir Norman Foster entworfen wurde. Auf der anderen Flußseite ragt die **Gherkin** auf, ebenfalls ein Hochhaus von Foster.

128ln Abb.: nh

Der Uferweg führt nun bis zur **Tower Bridge** ㉛. Bei einer Besichtigung der Brückentürme hat man eine schöne Aussicht auf die Stadt. Für den Lunch findet man auf beiden Seiten der Brücke, in der **Butler's Wharf** ㉙ oder im **St. Katherine's Dock** ㉜, ausreichend Gelegenheit.

Mittags

Nun könnte sich eine Besichtigung des **Tower of London** ㉝ anschließen, die aber mehrere Stunden in Anspruch nimmt. Alternativ kann man vom Tower Millennium Pier ein Ausflugsboot nach **Greenwich** nehmen. Unterwegs hat man Ausblick auf die modernen Bauten der Docklands mit der **Canary Wharf** (85) und kann dann in Greenwich vom **Observatorium** (89) aus noch einen letzten Blick von oben genießen.

Abends

Den letzten Abend könnte man in einem **ausgefallenen Restaurant** in der City of London abschließen, z.B. im **Marco Pierre White Steakhouse and Grill** (s. S. 24). Vom **Rhodes 24** (s. S. 29) und vom Restaurant **Sushisamba** (s. S. 29) blickt man beim Dinieren zudem auf die abendlich erleuchtete Stadt.

Zur richtigen Zeit am richtigen Ort

In einer Stadt wie London wird das ganze Jahr hindurch viel geboten. Einen kurzen Überblick über die „wichtigsten" Veranstaltungen soll die folgende Liste bieten. Die genauen Daten findet man im Internet unter www.visitlondon.com oder auf den im Folgenden angegebenen Websites.

Januar, Februar

› **Chinese New Year Festival:** Die chinesischen Einwohner feiern mit viel Feuerwerk rund um die Gerrard Street in Soho.
› **London Fashion Week:** Im Februar und September stellen britische und internationale Designer im Somerset House ihre Kollektionen vor (www.londonfashion week.co.uk/).

März

› **St. Patrick's Day Parade & Festival:** Der Festtag des irischen Nationalheiligen am 17. März wird mit einer großen Parade durch Londons Innenstadt begangen.
› **Oxford and Cambridge Boat Race:** Hundertausende säumen im März die Themse, wenn das traditionelle Bootsrennen der Achter zwischen Britanniens Eliteuniversitäten von der Putney Bridge nach Mortlake stattfindet (U-Bahn Putney Bridge).

April

› **London Marathon:** Der Marathon hat jedes Jahr über 35.000 Teilnehmer, beginnt im Greenwich Park und führt über die Isle of Dogs bis in die Innenstadt (www.virginlondonmarathon.com).

Mai

› **Chelsea Flower Show:** Auf dem Gelände des Royal Hospital in Chelsea veranstaltet die Royal Horticultural Society alljährlich eine große viertägige Garten- und Blumenschau, die traditionell von der Queen eingeweiht wird (www.rhs.org.uk/shows-events).
› **London Literature Festival:** Die Kulturinstitutionen an der South Bank sind Schauplatz dieses Festivals mit Lesungen und anderen Veranstaltungen (www.southbankcentre.co.uk).

Juni

› **Royal Ascot:** Pferderennen für die Royals und alle, die sich Tickets leisten können. Ausgefallene Hüte sieht man am „Ladies' Day" (www.ascot.co.uk).
› **Beating Retreat:** abendliches Trommelkonzert der königlichen Leibwachen Household Cavalry und Guard Division auf der Horse Guard Parade im Rahmen von Trooping the Colour (www.trooping-the-colour.co.uk/retreat).
› **Meltdown:** In den letzten zwei Wochen im Juni findet dieses zeitgenössische Kulturfestival rund um das South Bank Centre statt. Jedes Jahr steht dem Ereignis eine andere Persönlichkeit vor, zu den bisherigen Organisatoren zählten unter anderem Patti Smith, David Bowie

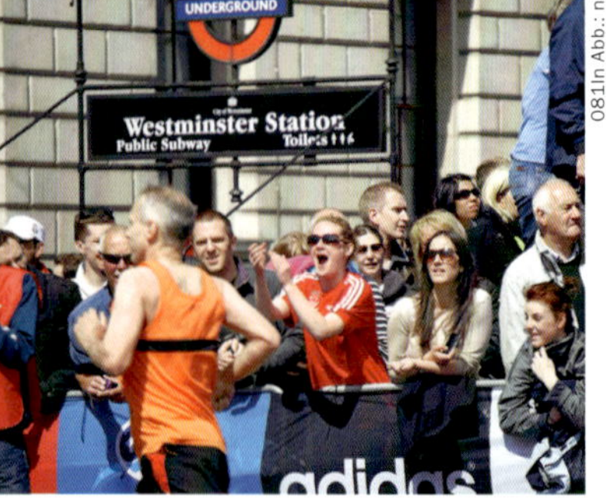

081ln Abb.: nh

Das gibt es nur in London

*Die Briten halten heute noch an jahrhundertealten Ritualen der Monarchie fest: Im **Tower** ③③ findet jeden Abend um 21.53 Uhr die **Ceremony of the Keys** statt. Wenn sich die Wachsoldaten mit dem Schlüssel nähern, ruft der Aufseher: „Halt! Wer da!" Antwort: „Die Schlüssel!" „Wessen Schlüssel?" „Königin Elizabeths Schlüssel!" Dann präsentieren die Posten das Gewehr, der Chief Yeoman Warder nimmt seine Kopfbedeckung ab und ruft: „Gott schütze Königin Elizabeth!" Der Chor der Wachtposten antwortet: „Amen!" Tickets für die Zeremonie erhält man nach schriftlicher Anfrage mit einem internationalen Antwortschein bei folgender Adresse: The Resident Governor, HM Tower of London, London EC 3 N4AB.*

*Ein weiteres Ritual ist das **State Opening of Parliament** im Herbst. Die Queen fährt in einer Kutsche zu den **Houses of Parliament** ⑮ - die Krone wird in einer separaten Kutsche befördert - und betritt das **House of Lords**, wo ihr die Krone aufgesetzt und eine Staatsrobe umgelegt wird. Seit dem Jahr 1642 ist es dem britischen Monarchen nicht mehr gestattet, das Unterhaus (**House of Commons**) zu betreten. Damals hatte Charles I. sich gewaltsam Eintritt verschafft, um mehrere Minister zu verhaften. Heute begibt sich daher der Bote der Queen zum Unterhaus und beruft die Mitglieder ins House of Lords. Dort verliest die Queen die **Ansprache des Premierministers** für die kommende Amtsperiode. Zuschauer können die Prozession der Kutsche an den Straßen Pall Mall und Whitehall beobachten. Die Ansprache wird im Fernsehen übertragen.*

*Beim Besuch der City of London muss die Queen der Form halber am **Temple Bar** ⑥⓪ anhalten - früher markierte ein Torbogen den Eingang zur City. Dort wartet bereits der Bürgermeister der City, der **Lord Mayor**, und überreicht ihr zum Zeichen seiner Ehrerbietung ein mit Perlen und Juwelen verziertes **Staatsschwert**.*

und 2013 Yoko Ono (http://meltdown.southbankcentre.co.uk).

> **Architecture Week:** Hier wird der Architektur Londons mit Ausstellungen, Diskussionen und interessanten thematischen Events und Führungen gehuldigt. Außerdem bietet sich dann auch die Gelegenheit, sonst unzugängliche Gebäude von innen zu besichtigen (www.londonfestivalofarchitecture.org).

> **Trooping the Colour** (www.royal.gov.uk/royaleventsandceremonies/trooping thecolour/troopingthecolour.aspx): Am

⟨ *Trubel beim London Marathon*

17. Juni feiert Königin Elizabeth II. traditionell ihren offiziellen Geburtstag ab 10.45 Uhr auf der Horse Guard Parade. Die Queen wurde am 21. April geboren, doch im April ist das Wetter für eine öffentliche Feier meist zu schlecht.

> **Pride London:** Parade der Homosexuellen durch die Londoner Innenstadt am Ende eines zweiwöchigen Schwulen- und Lesbenfestivals (http://pridelondon.ca).

> **Wimbledon Lawn & Tennis Festival:** Das berühmteste Tennisturnier der Welt findet alljährlich von Ende Juni bis Mitte Juli statt (www.wimbledon.com).

> **City of London Festival:** traditionsreiches, von Ende Juni bis Mitte Juli dauern-

Zur richtigen Zeit am richtigen Ort

des Festival mit Konzerten, Workshops und unterschiedlichen Straßenveranstaltungen (www.colf.org).

❯ **Sommerausstellung der Royal Academy of Arts:** Von Juni bis August werden in der Akademie Tausende Werke unabhängiger und etablierter Künstler sowie von Studenten der Akademie gezeigt (www.royalacademy.org.uk).

❯ **Hard Rock Calling:** Bei diesem Musikfestival, das vom Hyde Park in den neuen Queen Elizabeth Olympic Park verlegt wurde, treten bekannte Rockgrößen auf (www.hardrockcalling.co.uk).

❯ **Greenwich & Dockland International Festival:** Theater, Musicals und verschiedene Freiluftveranstaltungen in den ehemaligen Docklands (www.festival.org).

Juli

❯ **The National Theatre's „Watch this Space Festival":** Ein lebendiges Fest mit Musik, Straßentheater und Kinovorführungen. Wegen des Umbaus des Theaters findet das Festival 2013 nicht statt (www.nationaltheatre.org.uk).

❯ **BBC Henry Wood Promenade Concerts – PROMS:** Von Juli bis September finden in der Royal Albert Hall klassische Konzerte mit internationalen Stars statt. Die letzte Nacht (Last Night of the Proms) wird auch auf Bildschirmen im Hyde Park übertragen (www.bbc.co.uk/proms).

❯ **Wireless Festival** (www.wirelessfestival.co.uk): Ein dreitägiges Musikfestival im Queen Elizabeth Olympic Park, das den Musikrichtungen R'n'B, Hip-Hop und Pop vorbehalten ist.

❯ **Kew the Music:** Im Juli findet im Botanischen Garten Kew Gardens ein kleines Musikwochenende statt, bei dem bekannte Stars auftreten (www.kew.org/visit-kew-gardens/whats-on).

August

❯ **Notting Hill Carnival:** Der sehenswerte Karnevalsumzug der karibischen Einwohner Londons im Stadtteil Notting Hill ist angeblich Europas größte Straßenparty (www.thenottinghillcarnival.com).

September

❯ **Open House London:** Dieser Tag der offenen Tür findet in ganz London am dritten Wochenende im September statt. Man kann viele Gebäude besichtigen, die sonst der Öffentlichkeit verschlossen sind wie z. B. das Lloyds Building. Der Eintritt in viele Museen ist an diesem Tag kostenfrei (www.openhouselondon.org.uk).

❯ **London Fashion Week:** Die zweite Laufstegshow des Jahres im Somerset House.

❯ **Great River Race:** Diese Regatta ist ein entspannteres Gegenstück zur Oxford and Cambridge Boat Race. Die Teilnehmer legen 35 km vom Ham House in Richmond bis in die Docklands zurück (www.greatriverrace.co.uk).

❯ **Mayor's Thames Festival:** Tanz, Musik, eine Laternenprozession auf dem Wasser und Feuerwerk an einem Wochenende im September zwischen Westminster und Blackfriars Bridge (www.thamesfestival.org).

Feiertage

❯ **New Year's Day:** 1. Januar
❯ **Good Friday:** Karfreitag
❯ **Easter Monday:** Ostermontag
❯ **May Day:** Maifeiertag, erster Montag im Mai
❯ **Spring Bank Holiday:** letzter Montag im Mai
❯ **Summer Bank Holiday:** letzter Montag im August
❯ **Christmas Day:** 1. Weihnachtstag
❯ **Boxing Day:** 2. Weihnachtstag

Oktober

> **Frieze Art Fair:** Im Regent's Park präsentieren Galeristen die Werke von internationalen modernen Künstlern (www.frieze.com).
> **London Film Festival** (www.bfi.org.uk): Bekannte Schauspieler und Regisseure aus aller Welt präsentieren ihre Arbeiten im BFI South Bank, BFI IMAX und dem London Film Museum.
> **Diwali** (www.diwaliinlondon.com): viertägiges Fest der Londoner Hindu- und Sikh-Gemeinde auf dem Trafalgar Square.

November

> **Bonfire Night:** Auf großen Lagerfeuern werden in Erinnerung an seinen Versuch, das Parlament in die Luft zu sprengen, Guy-Fawkes-Puppen verbrannt. U. a. kann man dem Ereignis im Battersea Park beiwohnen.
> **Lord Mayor's Show** (www.lordmayor show.org): Der neugewählte Lord Mayor of London, der Bürgermeister der City, präsentiert sich der Königin. Um 11 Uhr verlässt der Mayor seinen Sitz, Mansion House, und zieht in einer Prozession zum Royal Court of Justice und wieder zurück.
> **Remembrance Day:** Am Sonntag vor oder nach dem 11. November wird in einer Trauerfeier am Cenotaph (s. S. 57) der Gefallenen in den Kriegen dieser Welt gedacht. Außerdem wird am 11. November um 11.11 Uhr eine Schweigeminute abgehalten.

Dezember

> **New Year's Eve Celebration:** Traditionell feiern am 31. Dezember um Mitternacht Tausende gemeinsam die Silvesternacht auf dem Trafalgar Square.

London für Citybummler

London ist eines der beliebtesten Ziele für eine Städtereise. Einen guten ersten Eindruck vom Flair der Millionenstadt erhält man am Themseufer, z. B. bei einer Fahrt mit dem Riesenrad **London Eye** ㉟, das sich bei der Westminster Bridge befindet. Am Nordufer der Brücke beginnt das Regierungsviertel mit den **Houses of Parliament** ⑮ und **Big Ben** sowie der **Westminster Abbey** ⑯, gefolgt von der Straße Whitehall, von der die **Downing Street** ⑭ abzweigt.

Whitehall mündet nördlich auf den wichtigsten Platz der Stadt, den **Trafalgar Square** ❼, der gleichzeitig Vorplatz der **National Gallery** ❽ ist. Fast alle Buslinien fahren hier vorbei und man kann von hier aus die Innenstadt in alle Himmelsrichtungen erkunden.

Westlich befinden sich die Viertel **St. James's** und **Mayfair** mit teuren Boutiquen und Hotels. In den daran angrenzenden Parkanlagen trifft man auf den **Buckingham Palace** ⑳ und südlich vom Hyde Park gibt es weitere teure Wohnviertel, wie **Kensington** und **Belgravia** sowie das Viertel **Chelsea** mit der **King's Road** ⑫.

Östlich vom Trafalgar Square führt die Straße Strand zum **Covent Garden** ❿ mit touristischen Boutiquen und belebten Cafés. Im Norden befindet sich der **Leicester Square** ❾. Zwischen der Shaftesbury Avenue und der Straße Haymarket ist das Herz des „Theaterlandes". Hieran schließt sich **Soho** mit Cafés, Restaurants und Pubs sowie Schwulenklubs und -bars an. In **Chinatown** mit seinen vielen Restaurants dominiert asiatisches Flair. Den Norden Sohos bildet die hektische Haupteinkaufsstraße

London für Citybummler

012ln Abb.: hs

Oxford Street. In den abzweigenden Straßen Regent und Bond Street ist das Tempo langsamer, die Geschäfte dafür aber teurer. Nordöstlich der Oxford Street schließt sich das Universitäts- und Literatenviertel **Bloomsbury** an, wo es hübsche Plätze und vor allem das **British Museum** ㉑ zu sehen gibt.

Zum Flanieren eignet sich das Südufer der Themse, die South Bank. Ausgehend von der Westminster Bridge kann man die Stadtansicht genießen und z. B. die **Tate Modern** ㊴ und das **Globe Theatre** ㊵ besuchen. Von hier gelangt man über Brücken zu weiteren Sehenswürdigkeiten auf der Nordseite der Themse. Die **Millennium Bridge** führt direkt zur **St. Paul's Cathedral** (55) inmitten der City of London, die von Hochhäusern und spektakulären Bürogebäuden dominiert wird. Es sind aber auch Reste der alten Stadtmauer und historische Gebäude wie die **Bank of England** ㊽ zu sehen.

Vorbei am **Monument** ㊼, das an das Große Feuer von London erinnert, führt die **London Bridge** ㉖ wieder auf die Südseite der Themse mit der **City Hall** ㉘ . Bei der **Tower Bridge** ㉛ beginnen die ehemaligen Docklands. Hier ist auf beiden Seiten der Themse – z. B. am **St. Katherine's Dock** ㉜ und in **Butler's Wharf** ㉙ – eine Stadtlandschaft mit hypermodernen Apartmentblocks entstanden.

Nördlich vom **Tower** ㉝ erstreckt sich das **East End.** Das multikulturelle Viertel mit Designerhotels, Galerien und trendigen **Märkten** ist auch der Anziehungspunkt für Nachtschwärmer. Weitere Märkte (s. S. 18), wo man ganze Tage mit Stöbern verbringen kann, finden sich in Camden und Notting Hill. Die grünen Vorstädte **Richmond** und **Greenwich** erkundet man am besten mit den Ausflugsbooten, die die gesamte Länge der Themse befahren.

In Covent Garden ⑩ kann man z. B. Kunsthandwerk kaufen

London für Kauflustige

Die Metropole London ist natürlich auch unter Shoppingfans ein beliebtes Reiseziel. Jährlich besuchen ca. 9 Mio. Menschen aus dem Ausland allein die Oxford Street [J–M12], die längste Einkaufsstraße der Stadt.

Großbritannien ist bekannt für **trendige Mode** und **witziges Design** und Kleidung und Schuhe sind hier im Schnitt preiswerter als in Deutschland. Zweimal jährlich findet die London **Fashion Week** (s. S. 12) statt, auf der junges britisches Design präsentiert wird. Läden wie Topshop/Topman und New Look greifen die neuesten Trends schnell auf und bieten brandaktuelle Mode zu niedrigen Preisen an.

An die Oxford Street grenzen die **Bond** [K12] und die **Regent Street** [L12], in denen man neben großen Ketten auch exklusivere Boutiquen findet. In **Knightsbridge** hat das Edelkaufhaus Harrods (s. S. 18) seinen Sitz. In der **Sloane Street** 71, die zum Duke of York Square [J16] in Chelsea führt, findet man teure Designerboutiquen. An den Platz schließt sich die **King's Road** 72 mit ausgefallenen Geschäften jeder Stilrichtung an.

London hat keinen Mangel an lebhaften **Märkten** und **Flohmärkten,** die von Secondhand- (Vintage) bis zu Designerware alles bieten. In der Markthalle des **Spitalfields Market** 81 im angesagten East End gibt es Designermode und Kunsthandwerk zu kaufen. Der **Petticoat Lane Market** 82 bietet Kleidung, Schuhe und Alltagsgegenstände. Am Nordende der Brick Lane findet sich der multikulturelle **Sunday Upmarket** (s. S. 19) mit Kleidung, Kunst und exotischen Imbissständen. Der größte und beliebteste Antik- und Secondhandmarkt ist der

Portobello Road Market 70, der sich über mehrere Kilometer hinzieht. Der **Camden Market** (s. S. 18) nimmt das ganze Stadtzentrum von Camden Town ein und bietet Secondhandmode und ausgefallene Trendkleidung. In den Hallen von **Covent Garden** 10 geht es etwas gediegener zu, hier reihen sich Kunsthandwerksgeschäfte, Boutiquen und Cafés aneinander.

Die **Kernöffnungszeiten** für Kaufhäuser und Boutiquen sind von 9 bis 17.30 Uhr. In der Oxford Street sind die großen Kaufhäuser auch oft bis 20 oder gar 22 Uhr geöffnet. Sonntags öffnen die meisten Läden ab 11 Uhr und schließen um 17 Uhr.

Bücher

Die beiden großen Buchhandelsketten Waterstone's und WHS Smith haben zahlreiche Filialen in London. Wer nach Antiquariaten sucht, wird vor allem in der Charing Cross Road [M12] fündig.

1 [K11] **Daunt Books**, 83 Marylebone High Street, U-Bahn Baker Street, Tel. 72242295, www.dauntbooks.co.uk, Mo–Sa 9–19.30, So 11–18 Uhr

2 [J15] **John Sandoe**, 10 Blacklands Terrace, U-Bahn Sloane Square, Tel. 75899473, www.johnsandoe.com, Mo–Sa 9.30–18.30 Uhr, So 11–17 Uhr

3 [M12] **Stanford's**, 12–14 Long Acre, U-Bahn Covent Garden, www.stanfords. co.uk, Mo/Mi/Do/Fr 9–20, Di 9.30–20, Sa 10–20, So 12–18 Uhr. Riesige Auswahl an Landkarten und Reiseführern zu jedem Reiseziel und Thema.

Shoppingareale
Die wichtigsten Shoppingbereiche der Stadt sind im Kartenmaterial mit einer rötlichen Fläche markiert.

EXTRATIPP

Shoppen und Speisen

4 [L13] **Fortnum & Mason.** Früher wurden hier die Waren aus den Kolonien angeboten, heute findet man zwar immer noch Delikatessen aus aller Welt, aber mittlerweile auch modische Accessoires. Lunch wird im St. James's Restaurant serviert, kleine Snacks gibt es im Fountain und im Parlour.

10 [J14] **Harrods,** 87–135 Brompton Road, U-Bahn Knightsbridge, Tel. 77301234, www.harrods.com, Mo–Sa 10–20 Uhr, So 12–18 Uhr. Es gibt nichts, was man bei Harrods nicht bekommen könnte, das Angebot reicht von Mode über Schmuck und Parfümerieartikel bis hin zu Delikatessen aus aller Welt. Hier gibt es auch Cafés, Restaurants und sogar eine Champagnerbar, in denen man gediegen speisen kann.

11 [J14] **Harvey Nichols,** 109–125 Knightsbridge, U-Bahn Knightsbridge. Neben international bekannten Namen gibt es auch eine Auswahl an britischem Design, u. a. von Stella McCartney (der Tochter von Paul) und Erdem Moralioglu oder Jonathan Saunders. Weithin bekannt ist das Restaurant im 5. Stock, das Fifth Floor.

Kosmetik

4 [M12] **Molton Brown,** 18 Russell Street, U-Bahn Covent Garden, www.moltonbrown.co.uk. Alles für die Schönheit bietet dieser Naturkosmetikladen, der auch edle Hotels beliefert.

5 [M12] **Space NK. Thomas Neal Centre,** 32 Shelton Street, www.uk.spacenk.com, Mo–Sa 10–19 Uhr, So 11.30–17.30 Uhr. Alle Schönheitswässerchen und Cremes der weltweit bekanntesten Anbieter.

6 [L13] **Taylor of Old Bond Street,** 74 Jermyn Street, U-Bahn Green Park, www.tayloroldbondst.co.uk. Seit mehr als 150 Jahren im Kosmetikdienst am gepflegten Herrn, alles, was Haut, Haare und Bart für das elegante Aussehen benötigen (auch Rasierer und Pinsel).

Märkte und Flohmärkte

45 [Q13] **Borough Market.** Gourmetmarkt in der Nähe der Southwark Cathedral mit Obst und Gemüse, Blumen, Fisch und Fleisch. Drumherum haben sich Restaurants und Cafés angesiedelt.

7 [O19] **Brixton Market,** Electric Avenue, Pope's Road, U-Bahn Brixton, http://brixtonmarket.net, geöffnet: Mo, Di, Do–Sa 8–18, Mi 8–15 Uhr. Lebhafter Lebensmittel- und Kleidungsmarkt in Brixton, der sich über mehrere Straßen zieht.

8 [K8] **Camden Market,** 54–56 Camden Market und Camden High Street, Camden, U-Bahn Camden Town, http://camdenlockmarket.com, www.camdenlock.net, geöffnet: tgl. 10–18 Uhr. Dieser Markt besteht aus verschiedenen Märkten, die sich über das kleine Stadtzentrum von Camden verteilen: der Straßenmarkt Camden Market in der High Street mit alternativer Mode und Accessoires, der Camden Lock Market in den Markthallen an der Schleuse des Regent's Canal mit Mode, Zubehör, Kosmetik und Einrichtungsgegenständen, der Camden Stables Market mit spezialisierten Boutiquen und Designshops etc. und die Camden Lock Village auf der anderen Seite der Schleuse.

9 [O9] **Camden Passage Market,** Camden Passage, Islington High Street, Islington, U-Bahn Angel, www.camdenpassageislington.co.uk, Mi und Sa. In einer Fußgängergasse hinter dem Islington Green kann man durch einen Antik- und Flohmarkt bummeln. Die Shops in der Gasse sind jeden Tag geöffnet.

12 [R10] **Columbia Road Flower Market,** Columbia Road, Bethnal Green, Bahnstation Hoxton, www.columbiaroad.info, So 8–15 Uhr. Lebhafter Blumenmarkt im East End. Auch wenn der Markt geschlossen hat, kann man hier bummeln, denn es reihen sich zahlreiche ausgefallene Boutiquen aneinander.

13 [X16] **Greenwich Market,** 55 Greenwich Market, DLR Greenwich, Tel. 82695096, www.greenwich-market. co.uk, Di–So 10–17.30 Uhr. Mittwochs gibt es hier einen Wochenmarkt, Do/Fr einen Antik- und Kunsthandwerksmarkt, Sa/So Wochenmarkt und Kunsthandwerksmarkt.

82 [R12] **Petticoat Lane Market.** Dieser Markt erstreckt sich über mehrere Straßen und Gassen. Hier findet man preiswerte Accessoires, CDs und Haushaltswaren.

70 [F12] **Portobello Road Market,** www. portobelloroad.co.uk. Obst- und Gemüsemarkt, Gebrauchsgegenstände und neues Design: Mo–Mi 9–18 Uhr, Do bis 13, Fr/Sa 9–19 Uhr. Antik-, Secondhand- und Flohmarkt: Sa (im Sommer auch Fr) 8–19 Uhr. Der Markt gliedert sich in verschiedene Abschnitte und verläuft über mehreren Kilometern auf verschiedenen Straßen. Von Antiquitäten über Kleidung bis hin zu Lebensmitteln wird hier alles verkauft.

81 [R11] **Spitalfields Market,** Mo–Fr 10–17, So 9–17 Uhr. In einer historischen Markthalle mit modernem Anbau gibt es einmal im Monat einen Kunstmarkt und an den anderen Tagen einen Designermarkt mit ausgefallener Kleidung und Accessoires.

14 [R11] **Sunday Upmarket,** Elys Yard, Hanbury Street und Brick Lane, U-Bahn Aldgate East, Tel. 74071002, www. sundayupmarket.co.uk, So 10–17 Uhr.

Dieser Markt mit multikulturellem Flair im Künstlerhaus der Truman Brewery bietet Mode, Schmuck und andere Lifestyle-Artikel von Designern und Künstlern.

Mode

15 [J16] **Anthropologie,** 131–141 King's Road, Chelsea, U-Bahn Sloane Square, Tel. 75299800, www.anthropologie.eu, Mo–Mi, Fr/Sa 10–19, Do 10–20, So 12–18 Uhr. Concept Store mit fantasievoll gestalteten Schaufenstern und einer besonders großen Auswahl an interessanten Schuhen.

16 [K12] **Aquascutum,** 318 Oxford Street, im Kaufhaus House of Fraser, U-Bahn Oxford Circus oder Bond Street, Tel. 75294700, www.houseoffraser. co.uk, Mo–Mi 10–20, Do 10–21, Fr/Sa 10–20, So 11.30–18 Uhr. Klassische englische Regenmäntel, Schals und Hüte für den gediegenen Gentleman und die feine Lady. Aquascutum hat der Überlieferung nach den Trenchcoat erfunden und jahrzehntelang wurden die klassischen Modelle der wasserdichten Jacken von Hollywoodstars getragen. Heute gehört die Firma zum Jaeger-Konzern.

17 [J14] **Browns Sloane Street,** 6c Sloane Street, U-Bahn Knightsbridge, Tel. 75140040, www.brownsfashion. com, Mo–Sa 10–18.30 Uhr, Mi 10–19 Uhr. Schicke Boutique mit Kleidung britischer Designerlabels wie Alexander McQueen, Mary Katrantzou, Stella McCartney und Erdem Moralioglu.

18 [L12] **Burberry,** 21–23 New Bond Street, Mayfair, U-Bahn Bond Street, Tel. 0203 4021500, http://uk.burberry. com, Mo–Sa 10–20, So 12.30–19 Uhr. Die bekannte britische Marke produziert seit 1856 klassischen britischen Schick.

19 [L13] **Dover Street Market,** 17–18 Dover Street, Mayfair, U-Bahn Greenpark, Tel. 75180680, www.doverstreet market.com, Mo–Mi 11–18.30, Do–Sa

EXTRATIPP

Conran Shop
Shop für **Einrichtungsgegenstände** und witzige **Designgegenstände** von Terence Conran, der u. a. auch das Design Museum ⓷⓪ führt.
> **Conran Shop,** Michelin House ⓭, Tel. 75897401, www.conran.co.uk, Mo/Di/Fr 10–18, Mi/Do 10–19, Sa 10–18.30, So 12–18 Uhr

11–19, So 12–17 Uhr. Diese hypermoderne Boutique verkauft auf mehreren Stockwerken Kleidung von Designerlabels wie Alexander McQueen, Jonathan Saunders und Simone Rocha.

🛍**20** [M12] **Dr. Martens Retail Store,** 17–19 Neal Street, U-Bahn Covent Garden, http://store.drmartens.co.uk. In dieser Filiale des Schuhherstellers findet man eine gigantische Auswahl der „Doc Martens"-Kollektion.

🛍**21** [L13] **Hackett,** 143–147 Regent Street, U-Bahn Piccadilly Circus, Tel. 74941855, www. hackett.com, Mo–Sa 10–19, So 12–18 Uhr. Schöne Männermode, u. a. schicke Anzüge und Freizeitkleidung.

🛍**22** [L12] **Liberty,** 210 Regent Street, U-Bahn Oxford Circus, Tel. 77341234, www.liberty.co.uk, Mo–Sa 10–20, So 12–18 Uhr. Liberty ist ein Kaufhaus für Kleidung, Haus- und Gartenartikel zum Stöbern und voller Überraschungen. Hier sind britische Designer wie Vivienne Westwood, Christopher Kane und Jonathan Saunders vertreten. Außerdem produziert der Laden in der eigenen Designwerkstatt Stoffunikate.

🛍**23** [L12] **Next,** 201–203 Oxford Street, U-Bahn Oxford Circus, Tel. 0844 8445007, www.next.co.uk, Mo–Mi 9.30–20.30, Do/Fr 9–21, Sa 9–20.30, So 11.30–18 Uhr. Unkomplizierte Trendmode für Frauen und Männer.

🛍**24** [R10] **No-One,** 1 Kingsland Road, U-Bahn Shoreditch High Street, www.no-one.co.uk, tgl. 10–19 Uhr. Schicke Designermode und Accessoires. In dem angegliederten Café kann man sich vom Shopping stilvoll erholen.

🛍**25** [M12] **Paul Smith,** 40 Floral Street, www.paulsmith.co.uk, U-Bahn Covent Garden, Mo–Mi 10.30–18.30, Do/Fr 10.30–19, Sa 10–19, So 12.30–17.30 Uhr. Klassische britische Mode mit modernem Einschlag für Männer und Frauen. Witzige Accessoires wie gemusterte Trilby-Hüte.

🛍**26** [L12] **Pretty Green,** 57 Carnaby Street, Tel. 72873122, www.prettygreen.com, U-Bahn Oxford Circus, Mo–Mi, Fr, Sa 10–19, Do 10–20 Uhr, So 12–18 Uhr. Das Label des ehemaligen Oasis-Sängers Liam Gallagher orientiert sich an der Mode der Mod-Szene der 1960er-Jahre mit langen Parkas und Fred-Perry-Hemden. Der Musiker und „Modfather" Paul Weller hat hier ebenfalls eine kleine Kollektion.

🛍**27** [J12] **Primark,** 499 Oxford Street, U-Bahn Marble Arch, Tel. 74950420, www.primark.co.uk, Mo–Fr 8.30–22, Sa 8.30–21, So 12–18 Uhr. Erfolgreiche, preiswerte Kette, die dem Konzept der „Fast Fashion" folgt. Die Modelle sind streng limitiert, um immer brandaktuell zu sein. Aufgrund der niedrigen Preise besonders bei der jüngeren Klientel beliebt.

🛍**28** [L12] **Russell & Bromley,** 128–130 Regent Street, Mayfair, U-Bahn Oxford Circus, Tel. 77346991, www.russelland-bromley.co.uk, Mo–Mi, Fr/Sa 10–20, Do 10–21, So 11–19 Uhr. Große Auswahl an Qualitätsschuhen im neusten Design – leider nicht ganz billig.

▷ *Eine Shopping-Welt für sich: das Kaufhaus Harrods (s. S. 18)*

082|n Abb.: nh

29 [K12] **Selfridges,** Oxford Street, U-Bahn Bond Street, Marble Arch oder Oxford Circus. Die größte Konkurrenz von Harrods mit annähernd dem gleichen umfangreichen Angebot.

30 [M12] **Superdry,** Unit 24/25 Thomas Neal Centre, Earlham Street, Covent Garden, U-Bahn Covent Garden, Tel. 72409437, www.superdry.com, Mo–Sa 10–19, So 12–18 Uhr. Das britische Label verkauft Streetware, z. B. modische Jeans, Hemden, Sweatshirts und Jacken für Männer und Frauen.

31 [I16] **The Shop at Bluebird,** 350 King's Road, Chelsea, U-Bahn Sloane Square, Tel. 73513873, www.theshopatbluebird.com, Mo–Sa 10–19, So 10–18 Uhr. In diesem Concept Store gibt es Mode und Designartikel, u. a. Kleidung von Gareth Pugh, Victoria Beckham, Meadham Kirchoff, Henry Holland und JW Anderson.

32 [L12] **Topshop & Topman,** 36–38 Great Castle Street, U-Bahn Oxford Circus, www.topshop.com, Tel. 0844 8487487, Mo–Sa 9–21, So 11.30–18 Uhr. Trendmode für Männer und Frauen zu sehr vernünftigen Preisen. Das Label bietet jedes Jahr eine Sonderkollektion von angesagten Jungdesignern.

33 [I17] **Vivienne Westwood Worlds End,** 430 King's Road, Chelsea/ Fulham, U-Bahn Fulham Broadway, Tel. 73526551, www.viviennewestwood. co.uk, geöffnet: Mo–Sa 10–18 Uhr, und:

34 [L12] **Vivienne Westwood Flagship Store,** 44 Condit Street, Mayfair, U-Bahn Bond Street oder Oxford Circus, Tel. 74391109, www.viviennewestwood. co.uk, Mo–Mi, Fr, Sa 10–18, Do 10–19, So 12–17 Uhr. Große Mode von der Grand Dame des englischen Designs. Die Frau, die früher stilvoll die Punks einkleidete, bringt noch immer Provokantes auf den Laufsteg.

Musik

35 [L12] **HMV,** 150 Oxford Street, U-Bahn Oxford Circus, www.hmv.com, Mo 8–20.30, Di/Mi/Fr/Sa 9–20.30, Do 9–21, So 11.20–18 Uhr. Nach der Übernahme der Kette durch einen neuen Eigentümer bietet sie nun ein ausgewähltes Sortiment an Musik-, Film- und Gaming-CDs sowie Elektronik.

36 [R11] **Rough Trade,** 91 Brick Lane, Old Truman Brewery, Spitalfields, U-Bahn Aldgate East oder Liverpool Street, Tel. 72298541, www.roughtrade. com, Mo–Do 8–21, Fr 8–20, Sa 10–20, So 11–19 Uhr. Seit Jahren auf Indie-Musik spezialisiertes Platten-Label. Der Laden führt eine bemerkenswerte Auswahl an Electronica, Punk, Dub und Soul auf CD und Vinyl.

Secondhand – Vintage

37 [R11] **Absolute Vintage,** 15 Hanbury Street, U-Bahn Liverpool Street Station, www.absolutevintage.co.uk, Mo–So 11–19 Uhr. Riesiges Warenlager mit Damen- und Herrenmode aus zweiter Hand.

38 [S10] **Beyond Retro,** 110–112 Cheshire Street, East End, London Overground Shoreditch, Tel. 76133636, www.beyondretro.com, Mo–Sa 10–19 (Do bis 20 Uhr), So 11.30–18 Uhr. Riesiges Warenhaus mit großer Auswahl an Secondhandkleidung aus allen Dekaden.

> **Electric Market,** im Electric Ballroom (s. S. 33), Sa 10–15 Uhr, So 10–17 Uhr. Sonntags findet in diesem legendären Klub in Camden einer der größ-

ten Secondhandmärkte Londons statt. Samstags gibt es abwechselnd zwei weitere Märkte: für Filmfans mit DVDs, Büchern, Memorabilia und ein Musikmarkt mit seltenem Vinyl für Sammler, DJs und unabhängige Labels – ein Treffpunkt für die Musikszene.

39 [M12] **Oxfam Originals,** 23 Drury Lane, Covent Garden, www.oxfam.org. uk, Mo–Sa 10–18, So 11–16 Uhr. Oxfam ist eine international tätige Hilfsorganisation. Die exklusivsten Stücke aus der Menge an gespendeter Kleidung kommen hier zum Verkauf.

Spielzeug

40 [L12] **Hamley's,** 188 Regent Street, U-Bahn Oxford Circus, www.hamleys. com, Mo–Mi 10–20, Do/Fr 10–21, Sa 9.30–20, So 12–18 Uhr. Einer der größten und bekanntesten Spielzeugläden der Welt. Der Kosmos der Kinder erstreckt sich über vier Etagen, hier finden Jungen und Mädchen alles, was sie sich nur wünschen können.

⌂ Hinter diesem schlichten Eingang verbirgt sich das Secondhandkaufhaus Beyond Retro

London für Genießer

Die Londoner Gastronomie ist vielfältig und bietet für jeden Geschmack etwas. Gourmets kommen in 60 Restaurants mit Michelin-Sternen auf ihre Kosten. Die moderne britische Küche („Modern British"), die mediterrane und asiatische Einflüsse mit britischen Standards vermischt, ist seit einigen Jahren auf dem Vormarsch. Zu Lunchzeiten kann man auch in teuren Restaurants preiswertere Menüs bekommen. Man sollte aber vorher reservieren.

Wer nicht formell dinieren möchte, findet ein riesiges Angebot an **Café-Bars** und **preiswerten Restaurants** mit moderner britischer und internationaler Küche. Diese werden gemeinhin als **Eateries** bezeichnet. Außerdem gibt es zahlreiche **Ketten**, die sich nur wenig von individuell geführten Café-Bars unterscheiden. Zu den empfehlenswerten Ketten gehören die Sushibars von **Wagamama** (www.wagamama.com) und **Wasabi** (www.wasabi.uk.com), die **chinesische Kette Ping Pong** (www.pingpongdimsum.com), die Thai-Restaurants von **Busaba Eathai** (http://busaba.com) und die mexikanische Kette **Wahaca** (www.wahaca.co.uk).

Individuell geführte **französische** und **italienische Restaurants** sind recht teuer, es gibt jedoch einige preiswertere Ketten wie **Café Rouge** (www.caferouge.co.uk), **Strada** (www.strada.co.uk) und **Carluccio's** (www.carluccios.com).

Traditionellere asiatische Restaurants findet man in Chinatown im Stadtteil Soho, **indische Curry-Restaurants** in der Brick Lane im East End. Letztere bieten eine große Auswahl an vegetarischen Gerichten, allerdings wird kein Alkohol serviert, da die bengalischen Betreiber meist Muslime sind.

Eine preiswerte Alternative stellen auch die sogenannten **Gastropubs** dar. Während die traditionellen Pubs meist nur britische „Standards" wie *pies* (Pasteten), Steak oder *fish and chips* auf der Speisekarte haben, legen moderne Gastropubs Wert auf eine fantasiereichere Küche und werden oft von jungen Köchen geführt.

In den meisten Restaurants wird der **Lunch** von 12 bis 14/15 Uhr und das **Abendessen** von 17/18 bis 21 Uhr serviert. Bei den Ketten sind die Zeiten weniger festgelegt.

Alkohol und insbesondere Weine sind aufgrund der hohen Mehrwertsteuer in Großbritannien teurer als in Deutschland. Auch wenn das Essen preisgünstig ist, muss man in der Stadtmitte bei einem Glas Wein mit einem Preis von mindestens 6 £ rechnen. Bier vom Fass ist preiswerter als importiertes Flaschenbier, ein Pint kostet im Schnitt 3 £.

Smoker's Guide

In sämtlichen öffentlichen Räumen, also in Pubs, Restaurants, Theatern, Bussen und U-Bahnen, Hotels, Ämtern etc., ist das **Rauchen ausnahmslos verboten.** In den Biergärten vor oder hinter den Pubs oder auf Terrassen darf geraucht werden.

Gastro- und Nightlife-Areale

Bläulich hervorgehobene Bereiche in den Karten kennzeichnen Gebiete mit einem dichten Angebot an Restaurants, Bars, Klubs, Discos etc.

Ausgewählte Lokale

Restaurants bekannter Köche

Beim Besuch von Gourmetrestaurants müssen Herren **Schlips und Jacket** tragen, auch bei den Damen ist **elegante Kleidung** erwünscht.

41 [J14] **Dinner by Heston Blumenthal** ££££, Mandarin Oriental Hotel, 66 Knightsbridge, U-Bahn Knightsbridge, Tel. 72013833, www.dinnerbyheston. com, geöffnet: Mo– So 12–14.30, 18.30–22.30 Uhr. Dieses Restaurant mit einem Michelin-Stern wird von einem der herausragendsten Chefköche der experimentellen Küche Britanniens geführt. Man darf Ungewöhnliches erwarten, denn obwohl hier nach althergebrachten Rezepten gekocht wird, werden die Gerichte unter Zuhilfenahme modernster Kochtechniken zubereitet.

42 [J13] **Le Gavroche** ££££, 40 Upper Brook Street, Mayfair, U-Bahn Marble Arch, Tel. 74080881, www.le-gavroche. co.uk, Reservierung (mindestens einen Monat im Voraus) per E-Mail: bookings@ le-gavroche.com, geöffnet: Lunch Mo–Fr 12–14, Dinner Mo–Sa 18.30–23 Uhr. Der Gourmettempel mit exzellenter französischer Küche und zwei Michelin-Sternen wird von Michel Roux jr. geführt.

43 [R11] **Marco Pierre White Steakhouse and Grill** £££, East India House, 109–117 Middlesex Street, U-Bahn Liverpool Street, Tel. 7247 5050, www.

mpwsteakandalehouse.org, geöffnet: Lunch: Mo–Fr 12–15, Dinner: Mo–So 17.30–22 Uhr. Starkoch Marco Pierre White hat seine Finger in vielen Restauranttöpfen Londons. In diesem Grillrestaurant serviert er britische und europäische Klassiker. Die Zutaten stammen von den Britischen Inseln und haben Bio-Qualität. Kinder sind willkommen.

44 [J16] **Restaurant Gordon Ramsey** ££££, 68 Royal Hospital Road, Chelsea, U-Bahn Sloane Square, Tel. 73524441, www.gordonramsay.com, geöffnet: Mo–Fr, Lunch: 12–14.15, Dinner 18.30–22.15 Uhr, Buchungen online. Gordon Ramseys mit drei Michelin-Sternen ausgezeichnetes „flagship restaurant".

45 [P10] **The Fifteen** £££, 15 Westland Place, Islington, U-Bahn Farringdon Road, Tel. 02033751515, www.fifteen. net/about. Von Jamie Oliver konzipiertes, nicht auf Gewinn ausgerichtetes Restaurant, in dem Jugendliche aus schwierigen sozialen Verhältnissen die Chance bekommen, das Koch-Handwerk zu lernen. Seit Mai 2013 wird das neu gestaltete Restaurant nun von Chefkoch Jon Rotheram geführt. Die Rezepte entstanden in Zusammenarbeit mit Jamie Oliver.

46 [M10] **The Gilbert Scott** £££, St. Pancras Renaissance Hotel, Euston Road, Tel. 78413540, www.thegilbertscott. co.uk, geöffnet: Lunch: 12–15, Dinner Mo–Sa 17.30–23 Uhr, So 12–22 Uhr. Das Restaurant befindet sich in den restaurierten Hallen des ehemaligen Jugendstilhotels im Bahnhof St. Pancras. Chefkoch Marcus Waring zeichnet für die als „Modern British" bezeichnete Küche verantwortlich. Er leitet auch die Küche im Berkely Hotel, für die er zwei Michelin-Sterne einheimsen konnte.

Preiskategorien

Die Preiskategorien beziehen sich auf ein Hauptgericht ohne Getränke

£	bis 10 £
££	10–15 £
£££	15–25 £
££££	ab 25 £

▷ *Das Michelin House* **13** *mit der Bibendum Oyster Bar (s. S. 26)*

Feine britische Küche

> **Blueprint Café** £££, im Design Museum **30**, www.blueprintcafe.co.uk, Tel. 73787031, geöffnet: Lunch Mo–Sa 12–15, So 12–16 Uhr, Dinner Mo–Sa 18–23 Uhr. Von Terence Conran geführtes Restaurant. Die Speisekarte reicht von gegrilltem Fisch bis zu Wild – „Modern British" vom Feinsten.

47 [M12] **Porter's** ££, 17 Henrietta Street, Covent Garden, Tel. 78365455, www.porters.uk.com, geöffnet: So/Mo/Di 12–22.30, Mi/Do 12–23, Fr/Sa 12–23.30 Uhr, U-Bahn Covent Garden. Englischer geht es nicht mehr: Gerichte wie Roastbeef und Yorkshire Pudding (ein knuspriger Pfannkuchen, mit dem man die Soße aufnimmt), Steak and Kidney Pie (Geschmortes mit Blätterteig gedeckt), Game Pie oder auch Fish Pie.

48 [M12] **Rules** £££, 35 Maiden Lane, Covent Garden, Tel. 78365314, www.rules.co.uk, geöffnet: Mo–Sa 12–23.30, So 12–22.30 Uhr, U-Bahn Covent Garden. Londons ältestes Restaurant (gegründet 1798), schon Charles Dickens war hier Stammgast. Die im Restaurant verwendeten Zutaten stammen größtenteils von den eigenen Län-

dereien und dem ökologisch arbeitenden Bauernhof des Restaurantbesitzers, das Wildbret von der eigenen Jagd. Klassische und moderne britische Küche mit erstklassigem Service in altenglischer Atmosphäre.

49 [N12] **Simpson's-in-the-Strand** £££, 100 Strand, West End, Tel. 78369112, www.simpsonsinthestrand.co.uk, geöffnet: Lunch: Mo–Sa 12.15–14.45, So ab 12.15, Dinner: Mo–Fr 17.45–22.45, Sa 17–22.45, So bis 21 Uhr, U-Bahn Embankment oder Charing Cross. Im Grand Diwan Room, dessen Einrichtung teilweise auf das 19. Jh. zurückgeht, wird traditionelle britische Küche serviert.

50 [L15] **The Vincent Rooms** ££, Westminster Kingsway College, 76 Vincent Square, Westminster, U-Bahn Victoria, Tel. 78028391, www.westking.ac.uk/The_vincent_rooms/index.html, geöffnet: The Escoffier Room Mo–Fr 12–14, The Brasserie Mo–Fr 12–14, 18–21 Uhr. Wer die Starköche von morgen kennenlernen möchte, kann hier die Kreationen der Absolventen der renommierten Kochschule des Westminster Kingsway College probieren. Höchste Qualität zu vernünftigen Preisen.

Fischrestaurants

> **Bibendum Oyster Bar** ££, im Michelin House **73**, www.bibendum.co.uk/oyster-bar, geöffnet: tgl. 12–23 Uhr. Fischrestaurant des Designers Terence Conran im wunderschönen Michelin-Jugendstilgebäude. Durch den guten, vergleichsweise preiswerten Lunch (gemessen an den Dinner-Gerichten) mittags immer voller als am Abend. Keine Tischreservierung möglich.

51 [P13] **Fish!** ££, Cathedral Street, Southwark, U-Bahn London Station, Tel. 74073803, www.fishkitchen.com, geöffnet: Mo–Do 11.30–23, Fr 9–23, Sa 8–23, So 10–22.30 Uhr. Helles, luftiges Restaurant auf dem Gelände des Borough Market, direkt neben der Southwark Cathedral. Frischer Fisch und frisches Seafood, sehr gut zubereitet, im Sommer können weitere 60 Gäste im Freien tafeln, gute Weine.

52 [N12] **Loch Fyne Restaurant** £, 2–4 Catherine Street, Covent Garden, www.lochfyne-restaurants.com , Tel. 72404999, geöffnet: Mo–Do 8–22.30, Fr/Sa 8–23, So 9–22 Uhr, U-Bahn Covent Garden. Dependance einer schottischen Lokalkette, sehr gutes Preis-Leistungs-Verhältnis.

53 [Q14] **M. Manze** £, 87 Tower Bridge Road, Bermondsey, Tel. 7407 2985, www.manze.co.uk, U-Bahn London Bridge, geöffnet: Mo 11–14, Di–Do 10.30–14, Fr 10–14.30, Sa 10–14.45 Uhr. Eines der wenigen verbliebenen altenglischen Fischrestaurants, die den traditionellen Aal in Gelee (*jellied eel*) anbieten.

Internationale Küche

54 [L13] **Al Duca** ££, 4 Duke of York Street, St. James's, U-Bahn Piccadilly, www.alduca-restaurant.co.uk, Tel. 78393090, geöffnet: Mo–Fr 12–23, Sa 12.30–23 Uhr. Große Auswahl an leckeren Menüs mit Antipasti, Pasta, Fisch, Fleisch und süßen Desserts in gemütlicher Atmosphäre.

55 [O13] **Baltic** £, 74 Blackfriars Road, Southwark, U-Bahn Southwark, Tel. 79281111, www.balticrestaurant.co.uk, geöffnet: Mo 17.30–23.15, Di–Sa 12–15, 17.30–23.15 Uhr. Eines der wenigen Restaurants mit osteuropäischer Küche und einer großen Auswahl an Wodkasorten.

56 [L12] **Bocca di Lupo** £, 12 Archer Street, U-Bahn Piccadilly Circus, Tel. 77342223, http://boccadilupo.com, geöffnet: Mo–Sa 12.30–15, 17.30–23 Uhr, So 12.30–15.15, 17–21 Uhr. Italienisches Restaurant mit großem Vorspeisenbüfett und Eis-Spezialitäten.

57 [M12] **Café des Amis** £££, 11–14 Hanover Place (off Long Acre), Covent Garden, U-Bahn Covent Garden, Tel. 73793444, www.cafedesamis.co.uk, geöffnet: Mo–Sa 12–23.30, So 12–20 Uhr. Alteingesessene Brasserie mit angenehmem Ambiente und guten Fisch- und Fleischgerichten.

58 [O10] **Caravan** ££, 11–13 Exmouth Market, Holborn, U-Bahn Farringdon, Tel. 78338115, www.caravanonexmouth.co.uk, geöffnet: Mo–Fr 8–22.30, Sa 10–22.30, So 10–16 Uhr. Die Fusion-Küche dieses Bistros überwindet geografische Schranken und vermischt asiatische und mitteleuropäische Zutaten zu neuen Geschmacksvarianten, z. B. Muscheln in Thai-Currysoße.

59 [M12] **Ceviche** £, 17 Frith Street, Soho, U-Bahn Leicester Square, Tel. 72922040, http://ceviche.com, geöffnet: Mo–Sa 12–23.30, So 12–22.15 Uhr. Hier kann man dem Koch hinter der Theke direkt auf den Löffel schauen. Peruanische Leckereien und Cocktails.

60 [M12] **Dumpling's Legend** £, 15–16 Gerrard Street, Chinatown, U-Bahn Leicester Square, Tel. 74941200, www.dumplingslegend.com, geöffnet: Mo–Do 12–24, Fr/Sa 12–3, So 12–23 Uhr.

Moderner Chinese mit Dim-Sum-Spezialitäten und den berühmten chinesischen *dumplings*.

61 [K11] **Fairuz** ££, 3 Blandford Street, Marylebone, U-Bahn Bond Street oder Baker Street, www.fairuz.uk.com, Tel. 74868108, geöffnet: Mo–Sa 12–23, So 12–22.30 Uhr. Feinste libanesische Küche. Wie im östlichen Mittelmeerraum traditionell üblich, gibt es hier viele Grillgerichte und leckere Vorspeisen *(meze)*, und das alles in authentischer Atmosphäre. Zur Begrüßung gibt es einen Teller Oliven.

62 [L15] **Kazan** £, 93–94 Wilton Road, Pimlico, U-Bahn Victoria, Tel. 72337100, http://kazan-restaurant. com, geöffnet: tgl. 12–15, Dinner 17.30–22.30 Uhr. Modernes türkisches Restaurant mit vernünftigen Preisen.

63 [L8] **Mango Room** £, 10–12 Kentish Town Road, Camden, U-Bahn Camden Town, Tel. 74825065, www.mangoroom. co.uk, geöffnet: tgl. 12–23 Uhr. In diesem freundlichen, modernen Restaurant kann man die karibische Küche mit allen ihren Schattierungen genießen. Grillgerichte und einfallsreiche Soßen mit karibischen Gewürzen aus Kokosnuss, Ananas und Mango.

64 [M12] **Mon Plaisir** ££, 19–21 Monmouth Street, Covent Garden, U-Bahn Covent Garden, Tel. 78367243, www. monplaisir.co.uk, geöffnet: Mo–Sa 12–23.15 Uhr. Laut eigener Aussage das älteste französische Restaurant in London. Hier werden zu erschwinglichen Preisen vernünftige, bodenständige französische Gerichte auf den Tisch gebracht.

65 [L12] **Moro** ££, 34–36 Exmouth Market, Holborn, U-Bahn Chancery Lane, Tel. 78338336, www.moro.co.uk, Lunch: Mo–Sa 12–14.30, So 12–14.45, Dinner: Mo–Sa 18–22.30 Uhr, Tapas: Mo–Sa ganztags, So 12–14.45 Uhr. In diesem modernen Restaurant gibt es die maurische Küche Spaniens und Nordafrikas zu kosten, frisch zubereitet und mit viel Grillfleisch, Vorspeisen und Salaten.

66 [J14] **Mr. Chow** ££, 151 Knightsbridge, Knightsbridge, U-Bahn Knightsbridge, Tel. 75897347, www.mrchow.com, Lunch: Mo–So 12.30–15, Dinner Mo–So 19–24 Uhr. Chinesisches Restaurant im modernen Stil, das authentische chinesische Gerichte auf die Teller zaubert, ohne durch die Klischees fernöstlichen Dekors von den Speisen abzulenken.

67 [J15] **O Fado** ££, 49 Beauchamps Place, Knightsbridge, U-Bahn Knightsbridge, Tel. 75893002, http://ofado. co.uk, Lunch: Mo–Sa, 12–15, Dinner: Mo–Sa 18.30–23 Uhr. Alteingesessenes, freundliches Kellerlokal mit sehr guter portugiesischer Küche, wobei Fisch und Meeresfrüchte dominieren. Di bis Sa greift abends ein Fado-Sänger in die Saiten seiner Gitarre.

68 **Saigon Saigon** ££, 313 King Street, Hammersmith, U-Bahn Ravenscourt Park, Tel. 87486887, www.saigon-saigon.co.uk, Lunch: Mo–Fr 12–14.30, Dinner: 18–23.30, Mo/So bis 22.30 Uhr. Ein hochgelobtes Lokal mit authentisch vietnamesischer Küche. Das breite Angebot reicht von Fleischgerichten über Seafood bis zu vegetarischer Kost.

69 [Q13] **Tapas Brindisia** £, 18–20 Southwark Street, Southwark, U-Bahn Southwark, www.brindisia.com, Tel. 73578880, geöffnet: Mo–Sa 9–23 Uhr, So 11–22 Uhr. Moderne Tapasbar, die auch abends gerne als Bar frequentiert wird.

70 [G12] **Taqueria** £, 139–143 Westbourne Grove, Notting Hill, U-Bahn Notting Hill Gate, Tel. 72294734, www. taqueria.co.uk, geöffnet: Mo–Do/So 12–23, Fr 12–23.30, Sa 10–23.30 Uhr. Unkomplizierte mexikanische Gerichte, angenehme Atmosphäre, lange Öffnungszeiten und preiswert – was will man mehr?

London für Genießer

❶**71** [S11] **Tayyabs** £, 83 Fieldgate Street (Brick Lane), Whitechapel, U-Bahn Aldgate East, www.tayyabs.co.uk, Tel. 72479543, geöffnet: tgl. 12–23.30 Uhr. In der offenen Küche werden hier pakistanische Currys frisch gekocht.

❶**72** [L11] **Terra** ££, 53 Cleveland Street, U-Bahn Goodge Street, Tel. 75807608, www.terrarestaurant.co.uk, Mo–Fr 11–23 Uhr, Sa 18–23 Uhr. Beliebtes Lokal, in dem die klassisch-mediterranen Gerichte frisch zubereitet auf den Tisch kommen.

❶**73** [M14] **The Cinnamon Club** £££, 30–32 Great Smith Street, The Old Westminster Library, Westminster, U-Bahn St. James's Park, Tel. 02033551410, www. cinnamonclub.com, Lunch: Mo–Sa 12–14.45, Dinner: Mo–Sa 18–22.30 Uhr. Das elegante Restaurant befindet sich in einem renovierten ehemaligen Bibliotheksgebäude und serviert moderne indische Küche vom Feinsten. Hier tafeln viele Parlamentsabgeordnete aus den nahen Houses of Parliament.

Vegetarische Küche

❷**74** [M12] **Food for Thought** £, 31 Neal Street, Covent Garden, U-Bahn Covent Garden, Tel. 78369072, http://foodfor thought-london.co.uk, geöffnet: Mo–Sa 12–20.30, So 12–17.30 Uhr. Populäres, vegetarisches Restaurant, das seinen Erfolg nicht nur den niedrigen Preisen und den großen Portionen, sondern auch der Qualität zu verdanken hat.

❷**75** [M12] **Maoz Vegetarian** £, 43 Old Compton Street, Soho, U-Bahn Leicester Square oder Tottenham Court Road, Tel. 78511586, www.maozusa.com, geöffnet: Mo–Do 11–21, Fr/Sa 11–2, So 11–24 Uhr. Vegetarisches „Fastfood" mit vielen koscheren Gerichten, Falafeln und leckeren Salaten, als Beilage gibt es Pommes.

❷**76** [L12] **Mildred's** ££, 45 Lexington Street, Soho, U-Bahn Piccadilly Circus, Tel. 74941634, www.mildreds.co.uk, geöffnet: Mo–Sa 12–23 Uhr. Elegantes vegetarisches Restaurant für einen geruhsamen, netten Abend mit exzellenter Küche. Die Rezepte reichen von Couscous bis zu indisch/asiatisch beeinflussten Gerichten.

❷**77** [G14] **Saf** ££, The Barkers Building, 63–97 Kensington High Street, Whole Foods Market, 1. Stock, Kensington, U-Bahn High Street Kensington, Tel. 73684555, www.safrestaurant.co.uk, geöffnet: Mo–Sa 11–22, So 11–18 Uhr. Restaurant für Veganer mit türkisch inspirierter Küche.

❷**78** [L12] **Tibits** £, 12–14 Heddon Street, Mayfair, U-Bahn Oxford Circus, Tel. 77584110, www.tibits.co.uk, geöffnet: Mo–Mi 9–22.30, Do–Sa 9–24, So 11.30–22.30 Uhr. Das vegetarische Restaurant einer schweizerischen Kette bietet ein leckeres Salatbüfett und warme Gerichte, dazu gibt es Biowein.

Cafés, Bistros und Co.

❸**79** [M12] **Cafe Bohème** £, 13-17 Old Compton Street, Soho, U-Bahn Leicester Square, www.cafeboheme.co.uk, Tel. 7734 0623, geöffnet: Mo–Fr 8–15, Sa 9–3, So 9–24 Uhr. Diese Café-Bar mitten in Soho hat lange geöffnet und serviert auch sättigende Snacks wie gebackenen Camembert oder Steak-Baguette.

❭ **Grand Café Royal Exchange** £, Royal Exchange ❹❾, U-Bahn Bank, Tel. 76182480, www.royalexchange-grand cafe.co.uk, geöffnet: Frühstück Mo–Fr 8–11 Uhr, Lunch/Dinner Mo–Fr 12–22 Uhr. Wer im Restaurant speisen will, muss vorher reservieren. Das Mezzanine Café im schönen Atrium ist allerdings von 12 bis 15 Uhr für alle geöffnet.

❸**80** [M14] **Inn the Park** ££, St. James's Park, U-Bahn St. James's Park, Tel. 74519999, www.peytonandbyrne. co.uk, geöffnet: Mo–Fr 8–23, Sa/So

EXTRATIPP

Für den späten Hunger

81 [M12] **Bar Italia,** 22 Frith Street, Soho, U-Bahn Leicester Square, Tel. 74374520, www.baritaliasoho.co.uk, geschl.: tgl. 4–6 Uhr. Italienischer Klassiker, der bereits seit Jahrzehnten fast rund um die Uhr die Gäste versorgt.

82 [K13] **Hakkasan** ₤₤₤, 17 Bruton Street, Hanway Place, U-Bahn Oxford Circus, Tel. 7927 7000, www.hakkasan.com, geöffnet: Dim Sum Mo–Fr 12–15.15 Uhr, Sa/So 12–16.15 Uhr, Dinner Mo–So 18–24 Uhr. Moderne Lounge-Bar mit kantonesischer Küche. Das Dim-Sum-Menü gibt es bis in die späte Nacht.

83 [L13] **Mahiki,** 1 Dover Street, Mayfair, U-Bahn Green Park, Tel. 7493 9529, www.mahiki.com, geöffnet: Mo–Sa 17.30–3 Uhr, Sunset Menu 17.30–21.20 Uhr. Diese karibische Cocktailbar serviert bis früh morgens Snacks und Häppchen.

Speisen bei guter Aussicht

Entlang des Südufers der Themse gibt es zahlreiche Cafés und Restaurants, die einen guten Ausblick bieten. Besonders schön sitzt man bei der Butler's Wharf **29**.

84 [Q12] **Rhodes 24** ₤₤₤₤₤, Tower 42, 25 Old Broad Street, City of London, U-Bahn Bank, Tel. 78777703, www.rhodes24.co.uk, geöffnet: Lunch: Mo–Fr 12–14.30, Dinner: Mo–Fr 18–21 Uhr. Die Aussicht aus dem Restaurant im 24. Stock des Tower 42 ist genauso anziehend wie das Essen von Starkoch Gary Rhodes, einem der Vorreiter der modernen britischen Küche.

85 [N13] **Skylon** ₤₤, Royal Festival Hall, South Bank, U-Bahn Waterloo, Tel. 76547800, www.skylon-restaurant.co.uk, geöffnet: Mo–Sa 12–14.30, 17.30–22.30, So 12–16 Uhr. Hier hat man aus dem zweiten Stock einen schönen Ausblick auf die Themse, besonders abends. Neben dem formellen Skylon Restaurant gibt es den entspannteren Skylon Grill.

86 [Q11] **Sushisamba** ₤₤, Heron Tower, 110 Bishopsgate, City of London, U-Bahn Liverpool Street, Tel. 36407330, http://sushisamba.com/location/london, geöffnet: So–Do 11.30–24, Fr/Sa 11.30–1 Uhr. Die Küchenrichtung von Sushisamba setzt sich aus drei exotischen Ländern zusammen: Japan, Brasilien und Peru. Von der Dachterrasse im 38. und 39. Stock des Heron Tower hat man einen atemberaubenden Blick auf die Stadt.

Dinner for One

In den Restaurantketten Wagamama, Busaba Eathai oder Wahaca (s. S. 23) sitzen Gäste ungezwungen auf Bänken und Tischen nebeneinander. So kommt man schnell ins Gespräch. Für ein ruhiges Dinner bietet das Inamo Single-Tische an.

87 [L12] **Inamo** ₤₤, 134-136 Wardour Street, U-Bahn Tottenham Court Road, Tel. 78517051, www.inamo-restaurant.com, geöffnet: Mo–Mi 17–23.30, Do 12–15, 17–23.30, Fr–Sa 12–24, So 12–22.30 Uhr. Asiatische „Fusion"-Küche, die Stilrichtungen vermischt.

88 [J13] **JW Steakhouse** ₤₤, Grosvenor House, JW Marriott Hotel, 86 Park Lane, Mayfair, U-Bahn Bond Street, www.jwsteakhouse.co.uk, Tel. 73998460, geöffnet: Lunch: Mo–So 12–14.30, Dinner: Mo–Do, So 18–22.30, Fr/Sa 18–23 Uhr. Das Steakhouse hat kleinere Tische, an denen man gut allein essen kann.

89 [L12] **Princi** ₤, 135, Wardour Street, Tel. 7478 8888, www.princi.co.uk, geöffnet: Mo–Sa 8–24, So 8.30–22 Uhr. Hier hat man die Wahl zwischen Selbstbedienung mit Salaten, Pizza und Focaccia oder dem angeschlossenen Restaurant.

9–23 Uhr. Café-Restaurant in perfekter Lage am See des St. James's Park. Hier kann man sich vom Spaziergang ausruhen, Kaffee trinken, einen Afternoon Tea zu sich nehmen oder richtig speisen.

90 [M12] **Maison Bertaux** £, 28 Greek Street, U-Bahn Leicester Square, Tel. 74376007, www.maisonbertaux.com, geöffnet: tgl. 8.30–20 Uhr. Französische Patisserie auf zwei Stockwerken, die bereits seit 1871 die Gäste mit frischen Backwaren, Snacks und Kaffee versorgt.

91 [J15] **Manicomio** ££, 85 Duke of York Square, Chelsea, U-Bahn Sloane Square, www.manicomio.co.uk, Tel. 77303366, geöffnet: Mo–Fr 8–20, Sa 9–20, So 10–18 Uhr. Edel-Italiener am schicken Duke of York Square, große Auswahl an der Café-/Deli-Theke mit leckeren Kleinigkeiten.

92 [L12] **Nordic Bakery** £, 14a Golden Square, Piccadilly, U-Bahn Piccadilly Circus, Tel. 32301077, www.nordicbakery. com, geöffnet: Mo–Fr 8–20, Sa 9–19, So 10–19 Uhr. Wer mal wieder Lust auf ein herzhaftes Sandwich aus Roggenbrot hat, findet in diesem skandinavischen Café viele Varianten davon und auch andere leckere Backwaren.

93 [Q14] **Del Aziz** £, 11 Bermondsey Square, Bermondsey, U-Bahn London Bridge, Tel. 7407 299, www.delaziz. co.uk, geöffnet: Mo–So 7–23, Brunch Sa/So 8–17 Uhr. Nettes Café-Restaurant mit marokkanischer Küche im angenehmen Viertel Bermondsey. Empfehlenswert und mit großer Auswahl ist der Brunch.

94 [P13] **The Table Cafe** ££, 83 Southwark Street, U-Bahn Southwark, Tel. 74012760, www.thetablecafe.com, geöffnet: Mo–Fr 7.30–16.30, Sa/So 8.30–16, Dinner: Di–Sa 18–22.30, Brunch: Sa/So 8.30–16 Uhr. Ausgezeichnetes Frühstücksmenü – wenn auch nicht ganz billig. Sehr empfehlenswert ist der Brunch am Wochenende.

Das Atrium des Mezzanine Café im Grand Café Royal Exchange (s. S. 28) lädt zu einer Rast ein

London am Abend

Die Auswahl an Unterhaltungsmöglichkeiten für Nachtschwärmer ist in London unvergleichlich. Die **South Bank** ist abends nicht nur aufgrund des Theater-, Kino- und Restaurantangebotes ein beliebter Treffpunkt. Im **Theaterland** rund um den **Leicester Square** ❾ ziehen die Neonreklamen die Aufmerksamkeit auf sich. Theaterkarten sollte man im Voraus buchen. Restkarten bekommt man bei der Half-Price Ticket Booth (s. S. 110). Am Leicester Square finden sich außerdem **Multiplexkinos**, in denen die neusten Filme laufen.

Wer das „schrägere" Nachtleben sucht, findet in den Stadtteilen **Camden** und **Brixton** zahlreiche Klubs, in denen so manche Indie- oder Rockband ihre Karriere begann. Im **East End** gibt es rund um die Commercial Street [R11] in Spitalfields sowie um die Old Street [Q10] und Shoreditch High Street [R10] zahlreiche Kneipen und Klubs, in denen sich die angesagte Szene versammelt. Im Sommer gibt es in der ganzen Stadt außerdem zahlreiche **Open-Air-Festivals** und **Kulturveranstaltungen.**

Auch in **Pubs** wird Unterhaltung angeboten, sie sind Treffpunkt für alle Gesellschaftsschichten und Altersgruppen. Das Angebot reicht von Sportübertragungen über Karaoke und Quizveranstaltungen bis zu DJ- oder Livemusik.

Pubs mit Geschichte

95 [P13] **Anchor Pub,** 34 Park Street, Bankside, Tel. 740771577, U-Bahn London Bridge, geöffnet: Mo–Mi 11–23, Do–Sa 11–24, So 12–23 Uhr. An dieser Stelle befand sich bereits 1615 ein Pub. Der Stadtchronist Samuel Pepys beob-achtete von hier aus das Große Feuer von London im Jahr 1666. Heute gehört die Kneipe zu der Kette Taylor-Walker.

96 [R13] **Dickens Inn,** St. Katherine's Dock, U-Bahn Tower Hill. Alter Fachwerk-Pub mit mehreren Etagen, von den Frontgalerien kann man gut beobachten, was sich im Dock alles tut. Das Gebäude datiert aus dem Jahr 1790 und wurde Ende der 1960er-Jahre an seinen heutigen Platz versetzt.

97 [L11] **Fitzroy Tavern,** 16 Charlotte Street, Bloomsbury, Tel. 0871 9511000. Zu Beginn des 20. Jh. war dieser Pub bei Literaten wie Dylan Thomas und George Orwell beliebt. Noch heute verkehren hier Medienschaffende aus den nahegelegenen BBC-Studios. Mittwochs gibt es Stand-up-Comedy.

98 [M12] **French House,** 49 Dean Street, U-Bahn Tottenham Court Road, http://frenchhousesoho.com. 1910 gegründet, war hier während des Zweiten Weltkriegs das Stammlokal der französischen Emigranten, zu denen auch Charles de Gaulle gehörte – die Fotos an den Wänden erzählen davon. Später wurde es zu einem Lieblingsort für Schriftsteller wie Dylan Thomas und Künstler wie den Maler Francis Bacon.

99 [P13] **Market Porter,** 9 Stoney Street, Borough Market, U-Bahn London Bridge, Tel. 74072495, www.markettaverns.co.uk, geöffnet: Mo–Fr 6–8.30, 11–23, Sa 12–23, So 12–22.30 Uhr. Gemütlicher Real Ale Pub gleich hinter dem Borough Market. Große Auswahl an Bieren und Pub Snacks.

100 [M11] **Museum Tavern,** 49 Great Russell Street, U-Bahn Tottenham Court Road, geöffnet: Mo–Do 11–23.30, Fr/Sa 11–24, So 10–22 Uhr. George Orwell und Karl Marx besuchten diesen Pub gegenüber dem British Museum nach ihren Studien im Reading Room. Heute wird er von der Kette Taylor-Walker geführt.

084/In Abb.: sh

101 [O12] **Ye Olde Cheshire Cheese,** Wine Office Court, 145 Fleet Street, Holborn, U-Bahn Chancery Lane, Tel. 73536170, Mo–Fr 11–23, Sa 12–23 Uhr. Bereits ab 1538 stand an dieser Stelle eine Taverne. Die heutige Version stammt aus dem Jahr 1666. Dr. Johnson verkehrte hier ebenso wie später Charles Dickens. Man spürt die Historie im Gebälk.

Kneipen und Bars

102 [Q14] **Antico Lounge Bar,** 214 Bermondsey Street, U-Bahn London Bridge, Tel. 7407 4682, www.antico-london.co.uk, geöffnet: Mi 17–23, Do 17–24, Fr/Sa 17–1.30 Uhr. Die Lounge-Bar im Yuppie-Viertel Bermondsey gehört zum gleichnamigen italienischen Restaurant, hier läuft gedämpfte Chill-out-Musik.

103 [Q10] **Calloch Callay Bar,** 64 Rivington Street, Shoreditch, U-Bahn Shoreditch High Street, Tel. 77394781, www.calloohcallaybar.com, geöffnet: So–Mi 18–24, Do–Sa 18–1 Uhr. Ausgefallene Bar mit schrägem Interieur. Es gibt eine versteckte zweite Bar (Jub-Jub Bar), für die nur Mitglieder einen Schlüssel bekommen.

104 [M9] **Camino,** 3 Varnisher's Yard, King's Cross, U-Bahn King's Cross, Tel. 78417331, ww.camino.uk.com, geöffnet: Mo–Mi 12–24, Do–Sa 12–1, So 12–23 Uhr. Lebhafte Tapasbar, abends gibt es hier Latinomusik vom DJ oder auch live.

105 [L13] **Grill Room Bar** £££, Café Royal, 68 Regent Street, Tel. 74063330, www.hotelcaferoyal.com, U-Bahn Picadilly Circus. Erlesene Häppchen (z. B. verschiedenste Sorten Kaviar) in historischem Ambiente. In der Hotelbar des Café Royal aus dem Jahr 1865 tranken schon Oscar Wilde, Bernard Shaw und Virginia Woolf.

106 [M12] **LAB,** 12 Old Compton Street, Soho, U-Bahn Leicester Square, Tel. 74377820, www.labbaruk.com, geöffnet: Mo–Sa 16–24, So 16–22.30 Uhr. In der London Academy of Bartending lernt das Barpersonal von morgen, wie man exzellente Cocktails mixt. Es werden gerne mit ausgefallenen Zutaten neue Geschmacksrichtungen ausprobiert.

107 [K11] **Purl,** 50 Blandford Street, U-Bahn Bond Street, Tel. 79350835, www.purl-london.com, geöffnet: Mo–Do/So 17–23.30, Fr/Sa 17–24 Uhr. Cocktailbar mit Retroschick. Hier werden innovative, aufwendige und einfallsreiche Cocktails serviert.

108 [R13] **The Living Room,** Unit 1, Tower Bridge, St. Katherine's Dock, U-Bahn Tower Hill, Tel. 77024210, www.thelivingroom.co.uk, geöffnet: Mo–Mi 11–23.30, Do–Sa 11–1, So 11–23 Uhr. In dieser Café-Bar direkt am Jachthafen im Dock legt abends ein DJ auf. Ideal für warme Sommernächte.

109 [Q12] **Vertigo 42 Champagner Bar,** Tower 42, 25 Old Broad Street, City of London, U-Bahn Bank, Tel. 78777842,

www.vertigo42.co.uk, geöffnet: Mo–
Fr 12–16.30, Mo–Sa 17–23 Uhr. Aus
dem 42. Stock des Tower 42 kann man
hier bei einem Glas Champagner auf die
Stadt schauen.

110 [O11] **Vinoteca**, 7 St John Street,
Clerkenwell, U-Bahn Farringdon, Tel.
72538786, www.vinoteca.co.uk, geöffnet: Mo–Sa 12–23. Gemütliche Wein-
bar mit leckeren kleinen Gerichten und
300 Weinsorten, Flasche Hauswein ab
13,50 £.

Klubs und Livemusik

111 [R11] **93 Feet East,** 150 Brick Lane,
Old Truman Brewery, Spitalfields,
U-Bahn Aldgate East, Tel. 77706006,
www.93feeteast.co.uk, geöffnet: Mo–Do
17–23, Fr/Sa 17–1, So 15–22.30 Uhr.
In dieser Konzerthalle im angesagten
East End spielen Livebands und es legen
regelmäßig DJs auf.

112 [L12] **100 Club**, 100 Oxford Street,
Soho, U-Bahn Oxford Circus, Tel.
76360933, www.the100club.co.uk, Eintritt: je nach Veranstaltung 6–20 £. Alt-
eingesessener Klub, der die Jahrzehnte
und verschiedene Musikströmungen
überdauert hat. Jazz-, Rock- und Indie-
Gigs wechseln sich mit Soul und Future
Rock, einer Plattform für neue Bands, ab.

113 [K8] **Barfly**, 49 Chalk Fam Road,
Camden, U-Bahn Chalk Farm, Tel. 0844
8472424, http://mamacolive.com, Eintritt: je nach Veranstaltung 5–20£. Der
beliebte Klub präsentiert Konzerte von
Indie-, Rock-, Punk- und Metalbands
sowie viele regelmäßige Klubnächte.

114 [M12] **Bar Rumba,** 36 Shaftesbury
Avenue, www.barrumbadisco.co.uk,
U-Bahn Piccadilly, geöffnet: Mo–Do/So
21–3, Fr/Sa 19–22 Uhr Comedy. In diesem Klub wird an Themenabenden aus-
gelassen mitgesungen.

115 [Q10] **Cargo**, Kingsland Viaduct,
83 Rivington Street, www.cargo-london.
com, U-Bahn Old Street, geöffnet: Mo–
Do 18–1, Fr/Sa 18–3, So 18–24 Uhr.
In den Arkadebögen einer nicht mehr
genutzten Eisenbahnlinie gibt es Livemusik von Jazz bis Hip-Hop und beliebte
DJ-Abende.

116 [M8] **EGG**, 200 York Way, U-Bahn
King's Cross, www.egglondon.net, geöff-
net: Fr 23–7, Sa 22–11, Di/Do 22–6
Uhr. Dass EGG ist ein großer Nachtklub
für elektronische Musik, der sich über
drei Etagen verteilt. Es gibt feste und
Gast-DJs. Gespielt wird House, Techno,
Tech-house, Deep House, Drum and
Bass und Dubstep.

117 [K8] **Electric Ballroom,** 184
Camden High Street, Camden, U-Bahn
Camden Town, Tel. 74859006, www.
electricballroom.co.uk. Der alteingesessene Klub in Camden bietet freitags Rock-, Goth- und Metalnächte und
samstags Disco. An jedem zweiten Sa
wird hier vom Label Rough Trade ein
Musikflohmarkt veranstaltet und sonntags ein Secondhandmarkt (s. S. 22).

118 [O11] **Fabric**, 77a Charterhouse
Street, www.fabriclondon.com,
U-Bahn Farringdon, geöffnet: Fr ab 22,
Sa/So ab 23 Uhr, Eintritt: je nach Veranstaltung 8–18 £. Das Fabric ist einer der
größten Klubs in London und verteilt sich
über mehrere Etagen. Die Freitagnacht
ist für Drum and Bass reserviert, samstags gibt es Techno.

119 [M13] **ICA – Institute of Contemporary Arts**, The Mall, St James's,
U-Bahn Charing Cross, Tel. 79303647,
www.ica.org.uk. Das ICA ist ein Kulturzentrum, in dem neben experimentellem

London am Abend

Theater, Film und bildender Kunst auch Konzerte stattfinden. Nach den Konzerten gibt es Disconächte.

🕐**120** [L12] **Madame Jo Jo's,** 8 Brewer Street, www.madamejojos.com, U-Bahn Leicester Square oder Piccadilly, geöffnet Di–Sa. Große Bandbreite an Veranstaltungen von Electronica, Disco, Rock- und Funknächten bis hin zu Comedy und Varietéshows.

🕐**121** [P14] **Ministry of Sound,** 103 Gaunt Street, off Newington Causeway, U-Bahn Elephant & Castle, geöffnet Fr, Sa, www.ministryofsound.com/club. Dieser bekannte Klub produziert regelmäßig Sampler-CDs.

🕐**122** [G13] **Notting Hill Arts Club,** 21 Notting Hill Gate, Notting Hill, U-Bahn Notting Hill Gate, Tel. 74604459, www.nottinghillartsclub.com. Hier finden Kulturveranstaltungen und Themennächte wie Latino, Post-Punk oder Jazz statt.

🕐**123** [O19] **O2 Academy Brixton,** 211 Stockwell Road, Brixton, U-Bahn Brixton, Tel. 77713000, www.o2academybrixton.co.uk, Eintritt: je nach Konzert 10–40 £. In diesem umfunktionierten Kino aus den 1920er-Jahren spielen Indiebands und es gibt Themennächte wie Electronia oder Reggae.

🕐 [Y13] **O2 Arena.** Hier spielen die ganz großen Stadionfüller. Ein Konzertbesuch bietet eine gute Gelegenheit, sich die für das Millennium gebaute, architektonisch interessante Halle anzusehen.

🕐**124** [M12] **Ronnie Scott's,** 47 Frith Street, Soho, U-Bahn Leicester Square, Tel. 74390747, www.ronniescotts.co.uk. Einer der wenigen verbliebenen legendären Jazzklubs Sohos aus dem Jahr 1959. Hier spielt noch heute die Crème-de-la-Crème des Jazz.

🕐**125** [O7] **Union Chapel,** Compton Terrace , Islington, U-Bahn Angel, Tel. 72263750, www.unionchapel.org.uk. Die Kirche der non-konformistischen Gemeinde hat sich für die Gemeinschaft geöffnet. Hier finden Soul-, Folk- und World-Music-Konzerte statt.

🕐**126** [R11] **Vibe Bar,** 91–95 Brick Lane, Shoreditch, U-Bahn Shoreditch High Street, Tel. 72473479, www.vibe-bar.co.uk, geöffnet: So–Do 11–23, Fr/Sa 11 bis open end. Treffpunkt im East End mit DJs, Konzerten von trendigen Bands, Performances etc.

🕐**127** [Q10] **Xoyo,** 32–37 Cowper Street, 77295959, www.xoyo.co.uk, Hoxton, U-Bahn Old Street, Eintritt: 10 £. Einer der größten Klubs in Hoxton in einem alten Warenhaus nahe der Old Street. Hier versammeln sich Clubber aller Schattierungen, die aufgelegte Musik ist gleichermaßen eklektisch.

Comedy

🕐**128** [M12] **Amused Moose,** Moonlighting Nightclub, 17 Greek Street, Soho, Tel. 83411341, U-Bahn Leicester Square oder Tottenham Court Road, Show Sa 20.30 Uhr. Der Amused Moose (der amüsierte Elch) besitzt seit vielen Jahren eine der besten Comedybühnen von London und engagiert sich auch in der Nachwuchsförderung.

🕐**129** [M13] **Comedy Store,** 1a Oxendon Street, Tel. 0844 8471728, U-Bahn Piccadilly Circus, Shows Di–Do, So 20 Uhr. Hier nahm in den 1980er-Jahren die alternative Comedyszene ihren Anfang. Bis heute der renommierteste Comedyclub Londons.

Theater

Erfolgreiche Musicals wie „Les Miserables" und „Mamma Mia" laufen in Londoner Theatern wie Adelphi, Palace, Piccadilly, Prince Edward, Prince of Wales, Queen's, Lyceum, Shaftesbury, Soho, St. Martin's und dem Theatre Royal (Infos über die Kartenvorverkaufsstellen s. S. 110).

Modernes Sprechtheater, Klassiker oder auch Tanz kann man z. B. hier sehen:

☉**130** [O8] **Almeida Theatre,** Almeida Street, Islington, U-Bahn Angel, Tel. 73594404, www.almeida.co.uk. Das Theater im Intellektuellenviertel Islington zeigt Stücke erster Klasse von renommierten Regisseuren wie Neil LaBute.

☉**131** [M12] **Donmar Warehouse,** 41 Earlham Street, U-Bahn Covent Garden oder Leicester Square, Tel. 72404882, www.donmarwarehouse.com, Kartenverkauf: Mo–Sa 10–18 Uhr, telefonisch bis 20 Uhr. Ein winziges Theater, das immer wieder mit spektakulären Produktionen überrascht, die von internationalen Stars wie Nicole Kidman oder Gwyneth Paltrow gespielt werden.

40 [P13] **Globe Theatre.** Im originalgetreu rekonstruierten Globe finden von Mai bis September die aufregendsten Theateraufführungen der Metropole statt, Karten gibt es (fast) immer bis kurz vor Aufführungsbeginn, da im Rund vor der Bühne rund 600 Stehplätze angeboten werden.

☉**132** [N13] **National Theatre,** South Bank, U-Bahn Waterloo, Tel. 74523030, www.nationaltheatre.org.uk, Kartenverkauf Mo–Sa 10–20 Uhr. Das englische Nationaltheater ist eines der renommiertesten Schauspielhäuser Londons. Während des aktuellen Umbaus (bis 2014) finden Vorstellungen im Anbau „The Shed" statt.

☉**133** [O14] **Old Vic,** Waterloo Road, U-Bahn Waterloo, Kartenverkauf: Tel. 0844 8717628, www.oldvictheatre.com, Kartenverkauf Mo–Sa 9–21 Uhr. Dieses fast 200 Jahre alte Theater gewann im Jahr 2003 neues Ansehen, als der Schauspieler Kevin Spacey die künstlerische Leitung übernahm. Seitdem macht es durch außergewöhnliche Produktionen und die Förderung junger Künstler von sich reden.

☉**134** [J15] **Royal Court Theatre,** Sloane Square, U-Bahn Sloane Square, Kartenverkauf Mo–Sa 10–18 Uhr (Tel. 75655000), www.royalcourttheatre.com. Seit 50 Jahren kommen hier die neuesten, noch druckfrischen Stücke auf die Bühne.

☉**135** **Sadler's Wells,** Roseberry Avenue, Islington, U-Bahn Angel, Tel. 0844 4124300, www.sadlerswells.com. Das führende Theater für modernen Tanz in London mit internationalen Gastauftritten.

☉**136** [O13] **Young Vic,** 66 The Cut, Kartenverkauf: Tel. 020 79222922, www.youngvic.org, U-Bahn Southwark. Hier steht Vielseitigkeit und Innovation auf dem Programm. Junge Autoren und Schauspieler werden gefördert.

Klassische Konzerte

53 [P11] **Barbican Centre.** Spielstätte des London Symphony Orchestra (LSO), einem der besten Sinfonieorchester der Welt. Pro Jahr geben die berühmten Musiker hier ca. 90 Konzerte. Auch was hier sonst so auf die Bühne kommt, ist Weltklasse. Während des BITE (Barbican International Theatre Festival) treten auch viele ausländische Ensembles auf.

66 [H14] **Royal Albert Hall.** In die riesige Rotunde passen 7000 Personen, die die hervorragenden Akustik genießen können. In den Sommermonaten finden hier die bekannten „BBC Proms"-Konzerte statt (s. S. 14).

❯ **Royal Festival Hall.** Das South Bank Centre **36** beherbergt u. a. die Royal Festival Hall, die Heimat der Londoner Philharmoniker ist. Dort gibt es drei Konzertsäle, die Festival Hall, die kleinere Queen Elizabeth Hall und den Purcell Room. Ab Herbst 2014 für drei Jahre wegen Umbaus geschlossen.

11 [M12] **Royal Opera House.** Eines der renommiertesten Opernhäuser der Welt.

London für Kunst- und Museumsfreunde

London ist mit unzähligen Museen ausgestattet und die Bestände sind so umfangreich, dass dem Besucher immer nur ein Bruchteil gezeigt werden kann. Der **Eintritt** in einigen der beeindruckendsten **Museen** ist frei. Zudem gibt es viele **Galerien** mit einem Schwerpunkt auf moderner Kunst.

Museen und Galerien

Museen

> **Bank of England Museum**, Bank of England **48**. Das Museum gewährt Einblick in die Währungsgeschichte Großbritanniens, es gibt aber auch Gemälde und Mobiliar zu besichtigen.

21 [M11] **British Museum.** Ganz zweifellos eines der bedeutendsten Museen der Welt, in dem Schätze aus pharaonischer, römischer, griechischer, assyrischer und keltischer Zeit auf den Besucher warten.

17 [M14] **Cabinet War Rooms und Churchill Museum.** Hier befand sich im Zweiten Weltkrieg die Kommandozentrale der Regierung. Heute gibt es einen interessanten Einblick in die Tage des „Blitz" und viele Churchill-Memorabilien.

Ⓜ**137** [N11] **Charles Dickens Museum,** 48 Doughty Street, www.dickensmuseum.com, Tel. 74052127, U-Bahn Russell Square oder Holborn, tgl. 10–17 Uhr, Sa ab 12.30, Eintritt: Erw. 8 £, Kinder 4 £, erm. 6 £. Im Dickens Museum kann man Memorabilien des Schriftstellers sehen.

Museen, die mit einer magentafarbenen Nummer (**21**) als Hauptsehenswürdigkeit ausgewiesen sind, werden im Kapitel „London entdecken" ausführlich beschrieben. Dort finden sich auch alle praktischen Informationen wie Adresse, Öffnungszeiten usw.

Das neue Besucherzentrum im Nachbarhaus (Nr. 49) beherbergt das Nationalarchiv zu Charles Dickens. Zu besichtigen sind Wohnräume, Küche und Dachboden und man kann Touren buchen, die von kostümierten Mitarbeitern begleitet werden (jeweils Sa ab 10 Uhr).

41 [P13] **Clink Prison Museum.** Ein „gruseliges" Museum, in dem die Zustände in den mittelalterlichen Gefängnissen des lasterhaften Bezirks Southwark dargestellt werden.

30 [R13] **Design Museum.** Neben einer Reihe von wechselnden Sonderausstellungen zeigt das (noch bis 2014) am Themseufer untergebrachte Haus eine ständige Sammlung von Klassikern des britischen Produktdesigns.

52 [P12] **Guildhall Art Gallery and Roman Amphitheatre.** Die Kunstgalerie zeigt Wechselausstellungen mit Werken aus der Sammlung der Guildhall. Außerdem kann man die Reste eines römischen Amphitheaters besichtigen.

Ⓜ**138** [O15] **Imperial War Museum,** Lambeth Road, Tel. 0207 4165320, www.iwm.org.uk, U-Bahn Elephant & Castle, tgl. 10–18 Uhr, Eintritt frei (außer Sonderausstellungen). Das sehenswerte Museum erzählt von den Leiden des Krieges und ist sehr interaktiv gestaltet. Wegen Umbaus bis Juni 2013 geschlossen, danach bis Anfang 2014 nur teilweise geöffnet.

Ⓜ**139** [Q13] **London Bridge Experience,** 2–4 Tooley Street, London Bridge Quarter, U-Bahn London Bridge, www.thelondonbridgeexperience.com, Tel. 0844 8472287, geöffnet: Mo–Fr 10–17, Sa/So 10–18 Uhr, Eintritt: Erw. 23 £, Kinder 17 £. In diesem Horrormuseum werden die blutigen Momente in der Geschichte der London Bridge dargestellt. Parallel dazu entsteht momentan unter der einstigen Brücke das London Bridge Museum.

140 [N14] **London Dungeon,** County Hall, Westminster Bridge Road, U-Bahn Waterloo, Tel. 0871 4232240, www.thedungeons.com, Mo, Di, Mi, Fr 10–17, Do 11–17, Sa/So 10–18 Uhr, Eintritt Erw. 24,60 £, Kinder 19,20 £, erm. 22,50 £. Seit 2013 in der County Hall. Mithilfe von Schauspielern wird die gruselige Geschichte der Londoner Unterwelt nachgestellt und Charaktere wie Jack the Ripper, Sweeney Todd und Guy Fawkes stellen sich persönlich vor.

34 [N14] **London Film Museum.** Der Eingang zum Museum befindet sich an der von der Themse abgewandten Seite der County Hall. Man wird von zwei goldenen Engeln begrüßt und dann durch viele interessante Aspekte der internationalen Filmgeschichte geleitet.

141 [N12] **London Transport Museum,** 39 Wellington Street, Covent Garden, Tel. 73796344, www.ltmuseum.co.uk, U-Bahn Covent Garden, Mo–Do, Sa/So 10–18, Fr 11–18 Uhr, Eintritt 15 £, erm. 11,50 £. Das Museum informiert interaktiv über die Entwicklung des öffentlichen Nahverkehrs in der Metropole.

23 [J11] **Madame Tussaud's.** Das berühmte Wachsfigurenkabinett präsentiert wächserne Abbilder vieler Berühmtheiten dieser Welt – allerdings zu recht happigen Preisen.

84 [W12] **Museum in Docklands.** Das Museum (Teil des Museum of London) zeigt anschaulich die Geschichte des Londoner Hafens und seine Umwandlung in einen postmodernen Stadtteil.

54 [P11] **Museum of London.** Zu besichtigen sind Exponate aus allen Epochen der Londoner Geschichte von der Steinzeit bis in die Gegenwart.

68 [I15] **Natural History Museum.** Das interaktive Museum für Naturgeschichte ist besonders bei Kindern beliebt.

88 [Y16] **National Maritime Museum.** Im Queen's House in Greenwich befindet sich eines der schönsten und größten Marinemuseen der Welt. Es gibt Hunderte von Schiffsmodellen, nautischen Instrumenten und alten Seekarten, aber auch Boote in Originalgröße.

3 [L13] **Royal Academy of Arts.** Hier stellen nicht nur die Maler der Akademie Werke aus, sondern es werden auch das ganze Jahr über wechselnde Ausstellungen organisiert.

67 [I15] **Science Museum.** Das Wissenschaftsmuseum ist mit dem Deutschen Museum in München vergleichbar und erklärt mit neuster interaktiver Technik wissenschaftliche Phänomene.

142 [J11] **Sherlock Holmes Museum,** 221b Baker Street, Tel. 79358866, www.sherlock-holmes.co.uk, U-Bahn Baker Street, tgl. 9.30–18 Uhr, Eintritt 6 £. Im Sherlock Holmes Museum kann man das Arbeitszimmer des genialen Detektivs und viele weitere Memorabilien besichtigen und auch Souvenirs kaufen.

69 [I15] **Victoria and Albert Museum.** Das V & A zeigt die ganze Bandbreite des künstlerischen Schaffens verschiedener Nationen und ist sicher auch für „Museumsmuffel" interessant.

Galerien

143 [N13] **Hayward Gallery,** Belvedere Road (im South Bank Centre), Tel. 79210813, www.hayward.org.uk, U-Bahn Waterloo, tgl. 10–18, Fr 10–22 Uhr. Wechselausstellungen internationaler Künstler. Ab Herbst 2014 wegen Umbau geschlossen.

144 [M13] **ICA – Institute of Contemporary Arts,** 12 The Mall, Tel. 79300493, www.ica.org.uk, U-Bahn Charing Cross, Di–So 11–23 Uhr, Ausstellungen. Das Kunstzentrum besitzt drei Galerien, zwei Kinos, organisiert Vorträge und Seminare, hat eine große Videothek und einen gut sortierten Buchladen.

8 [M13] **National Gallery und National Portrait Gallery.** Die National Gallery beherbergt die Werke italienischer

Meister des 15. und 16. Jh. sowie holländische, flämische und französische Gemälde des 17. Jh. In einem Nebenflügel ist die National Portrait Gallery eingerichtet.

❯ **Queen's Gallery,** Buckingham Palace ⓴, Tel. 77667301, www.royalcollection.org.uk, geöffnet: tgl. 10–17.30 Uhr, geschlossen: 11.7., 7.–31.10. und 25./26.12. 2013, Eintritt: Erw. 9,50 £, erm. 8,75 £, Kinder 5–17 Jahre 4,80 £. Hier sind Hunderte von Kunstobjekten aus der Sammlung der königlichen Familie zu besichtigen, von Gemälden über Schmuck bis zu Mobiliar. Da die Sammlung so groß ist, gibt es viele Wechselausstellungen.

Ⓖ**145** [J16] **Saatchi Gallery,** Duke of York's HQ, King's Road, Chelsea, U-Bahn Sloane Square, Tel. 78232363, www.saatchi-gallery.co.uk, geöffnet: tgl. 10–18 Uhr, Eintritt: frei. Der Kunstsammler Charles Saatchi hat ein gutes Auge für neue Talente und gibt jungen Künstlern die Möglichkeit, ihre Werke der Öffentlichkeit zu präsentieren.

Ⓖ**146** [I14] **Serpentine Gallery und Serpentine Sackler Gallery,** Kensington Gardens, U- Bahn High Street Kensington oder Knightsbridge, Tel. 74026075, www.serpentinegallery.org, geöffnet: ab 8.6.2013 tgl. 10-18 Uhr, Eintritt frei. Die Gallery zeigt im Sommer Ausstellungen internationaler Künstler mit einem Schwerpunkt auf Skulpturen. Die Sackler Gallery öffnet 2013 ihre Türen.

⓲ [M15] **Tate Britain.** Hier kann man britische Malerei vom 15. bis 19. Jh. betrachten. In der angeschlossenen Clore Gallery ist fast das gesamte Œuvre des Licht- und Schattengenies J. W. Turner zu bewundern.

㊴ [P13] **Tate Modern.** Der moderne Teil der Kunstsammlung des Tate wurde in den ehemaligen Kraftwerksbau der Bankside Power Station verlegt und ist hier nach Kunststilen geordnet.

❯ **The Courtauld Gallery,** Somerset House ㊳, Tel. 78720220 www.courtauld.ac.uk, U-Bahn Temple oder Covent Garden, tgl. 10–18 Uhr, Eintritt 6 £. Eine umfassende Sammlung impressionistischer Kunst.

㊆ [R11] **Whitechapel Gallery.** Wechselnde zeitgenössische Ausstellungen, aber auch Dichterlesungen, Musikveranstaltungen und Filme.

London zum Träumen und Entspannen

Wer möchte, kann innerhalb der Innenstadt mehrere Stunden durch **Parkanlagen** spazieren, ohne vom Lärm der Metropole gestört zu werden. Südlich vom Trafalgar Square, hinter der Horse Guards Parade, beginnt der **St. James's Park** ⓳. Hat man ihn auf ganzer Länge durchquert, wechselt man am Victoria Memorial vor dem Buckingham Palace ⓴ über die Mall in den **Green Park**, der auf Hyde Park Corner zuführt. Vorbei am Wellington Arch gelangt man zur nordöstlichen Ecke des **Hyde Park** ㊿, den man in westlicher Richtung durchquert. Hinter dem großen Serpentine Lake schließt sich Kensington Gardens mit dem **Kensington Palace** ㊻ an. Von der Nordostseite des Hyde Park, bei Speaker's Corner, fahren Busse in ca. 10 Minuten nach Marylebone bis zum **Regent's Park** ⓴. Der hektischen Metropole entfliehen kann man auch bei einem Besuch eines der größten Botanischen Gärten der Welt, **Kew Gardens** ㊻.

Am 27. Juli 2013 wird der **Queen Elizabeth Olympic Park** auf dem umgebauten Olympiagelände eröffnet. Hier kann man sich entspannen oder Open-Air-Veranstaltungen besuchen.

Am Puls der Stadt

002In Abb.: hs

Das Antlitz der Metropole

Durch Londons Straßen ergießt sich ein beständiger Strom von Geschäftsleuten, Besuchern, Pendlern und Anwohnern. Vom frühen Morgen bis zum späten Abend pulsiert das Zentrum der Metropole. Abseits der touristischen Zentren hat die Stadt aber durchaus auch ruhige und verträumte Ecken zu bieten.

London nahm und nimmt im Gefüge der Nation eine herausragende Stellung ein: Als **Hauptstadt des Vereinigten Königreichs** ist die Stadt Sitz der Monarchen und des Parlaments sowie des anglikanischen Erzbischofs von Canterbury und der großen Gerichtshöfe. London ist außerdem das **wirtschaftliche Zentrum** des Landes, die wichtigsten Medienanstalten haben hier ebenso wie die bedeutendsten kulturellen Einrichtungen ihren Sitz.

Im Jahr 2000 wurde die Verwaltungsbehörde für Großlondon, die **Greater London Authority (GLA)**, ins Leben gerufen, an deren Spitze der Oberbürgermeister (**Mayor of London**) steht. Das Amt hat momentan der konservative Bürgermeister Boris Johnson inne. Die Stadt gliedert sich in die **32 Verwaltungsbezirke (Boroughs)** von Inner London, in denen ca. 8 Mio. Menschen leben, und die **City of London**, die als eigenständiger Bezirk Stadtstatus besitzt. Dieser ursprüngliche Gründungskern der Hauptstadt ist nur ca. 2,6 km² groß und wird derzeit von nur 9000 Menschen bewohnt. Tag für Tag strömen jedoch fast 300.000 Arbeitnehmer in die sogenannte „Square Mile" (Quadratmeile). Im Großraum London (**Outer London**), der sich außerhalb der Grenzen der Umgehungsautobahn M25 erstreckt, leben weitere 6,5 Mio. Menschen. Die einzelnen Bouroughs haben ein sehr unterschiedliches Gesicht, nicht zuletzt beeinflusst durch die verschiedenen Kulturen und Gesellschaftsschichten ihrer Einwohner.

Die **Themse** zieht sich quer durch die Stadt und trennt den Norden vom Süden. Eine **homogene Architektur und Stadtplanung** wie beispielsweise in Paris oder Wien findet der Besucher in London nicht. Das liegt daran, dass beim Wiederaufbau der Stadt nach dem **Großen Feuer von 1666** ambitionierte Pläne für eine Neugestaltung aus Kostengründen verworfen wurden. Die homogensten Straßenzüge findet man heute z. B. in Belgravia, wo im 18. Jh. neue Wohnviertel im klassizistischen Baustil entstanden. Auf der Südseite der Themse fielen viele mittelalterliche

◁ *Vorseite: In Covent Garden* ➓ *kann man Musik jeder Art hören*

▷ *Londons Skyline spiegelt den Wandel der Jahrhunderte*

023In Abb.: ws

Strukturen der **viktorianischen Bauwut** zum Opfer. Der **Zweite Weltkrieg** hinterließ in der City of London und am südlichen Themseufer ebenfalls große Zerstörungen. Diese Lücken wurden nach und nach gefüllt und auch heute wird weniger abgerissen, als vielmehr in „natürlich entstandene" Lücken gebaut. Denkmalschützer setzen sich für die **Erhaltung historischer Gebäude** ein, bestehende Bauten werden daher meist in neue Projekte integriert, was zu einer einzigartigen Zusammensetzung von Architekturstilen geführt hat.

In der **City** und der **Canary Wharf** in den Docklands mit ihren Banken und der Börse werden Tag für Tag schier unermessliche Summen an Geld umgesetzt. Einst waren die **Docklands** an der Themse der größte Warenumschlagplatz der Welt, doch nach dem Ende des Zweiten Weltkriegs setzte der Verfall ein. 1981 wurde das Areal großflächig saniert und heute findet man hier Hochpreiswohngebiete und Hightech-Parks. Bedeutende Unternehmen unterhalten hier Büros und alljährlich finden Messen und Ausstellungen statt.

Heute lebt die Stadt von der **Finanzindustrie** und dem **Dienstleistungsgewerbe.** Sie ist auch zu einem Zentrum für die **kreativen Gewerbe** geworden: Ca. 23 % aller Designer Großbritanniens – Mode, Webdesign und Software – sind in London beschäftigt und nicht zuletzt erwirtschaftet auch die britische **Filmindustrie**, deren Zentrum sich in London befindet, Milliardengewinne.

London besitzt **fünf Flughäfen**, die mit insgesamt 127 Mio. Fluggästen das höchste Passagieraufkommen der Welt verzeichnen. Allein **London Heathrow** fertigt über 65 Mio. Passagiere pro Jahr ab. In **Gatwick** im Süden werden pro Jahr 25 Mio. Fluggäste abgefertigt. Im Norden liegt **Stansted**, der vor allem von den Billigfluglinien easyJet, Germanwings oder Flybe angesteuert wird. Ebenfalls im Norden befindet sich der **Luton Airport** und im Osten der kleinere **City Airport.** Momentan sind der Bau einer weiteren Startbahn in Heathrow und ein neuer Flughafen außerhalb der Stadt bei der Themsemündung geplant, gleichzeitig aber in der Öffentlichkeit umstritten.

Von den Anfängen bis zur Gegenwart

Römische Zeit (55 v. Chr.–449 n. Chr.)

43 n. Chr. Kaiser Claudius erobert Britannien und gliedert das Land ins Römische Reich ein.

50 n. Chr.: Am Nordufer der Themse entsteht aus einer Befestigung die Stadt Londinium. Die erste Brücke über die Themse, die spätere London Bridge, entsteht.

410 n. Chr.: Die Römer ziehen sich aus Britannien zurück.

Angelsächsische Zeit (450–1066)

450 n. Chr.: Angeln, Sachsen und Jüten besiedeln Britannien.

604 Unter dem Namen Lundenwic wird London erstmals als Hauptstadt des angelsächsischen Königreichs Essex erwähnt.

1042–1066 Edward the Confessor (Eduard der Bekenner) verlegt den Hof nach Westminster und baut den Whitehall Palace.

1065 Der erste Bauabschnitt der Westminster Abbey wird geweiht.

Normannische Zeit (1066–1154)

1066 Der Normanne William the Conqueror (Wilhelm der Eroberer) wird nach der Schlacht bei Hastings in der Westminster Abbey zum englischen König gekrönt.

1078 Zur Überwachung der Stadt lässt William den White Tower erbauen, der heute noch Teil der Befestigung des Towers ist.

Haus Anjou-Plantagenet (1154–1399)

1176–1209 Errichtung der Old London Bridge, der ersten Steinbrücke über die Themse (bestand bis 1831)

1215 König John beugt sich dem Druck des Adels und erlässt die „Magna Carta Libertatum". Sie schränkt die Macht des Königs ein und gewährt ein feudales Einspruchsrecht. Die Magna Carta ist damit die früheste Erklärung von Bürgerrechten überhaupt.

1245–1269 Neubau der Westminster Abbey im gotischen Stil

1265: Unter Simon de Monfort wird das erste englische Parlament ohne Anwesenheit des Königs einberufen.

1290: Als Folge der Kreuzzüge werden unter Edward I. die Juden verjagt.

1295: Das Model Parliament aus Adel, Kirche und Bürgervertretern tritt unter Edward I. in Westminster zum ersten Mal zusammen.

1307: Der Templerorden wird enteignet und in der Temple Church entsteht eine Rechtsgelehrtenschule, der Vorläufer der Inns of Court.

Von den Anfängen bis zur Gegenwart

1337: Das Parlament wird unter Edward III. zu einer festen Institution. Es zeichnet sich eine Trennung in House of Lords (Oberhaus) und House of Commons (Unterhaus) ab.

Haus Lancaster und Haus York (1399–1461 und 1461–1485)

1455–1485: Zeit der Rosenkriege. Das Haus York (Weiße Rose) kämpft gegen das Haus Lancaster (Rote Rose) um die englische Krone. Die Schlacht bei Bosworth unter Henry VII. beendet den Krieg offiziell. Er begründete die Tudor-Dynastie.

1476: William Caxton installiert die erste Buchdruckpresse in England.

Haus Tudor (1485–1603)

1509–1547: Henry VIII. sagt sich von der katholischen Kirche los, da der Papst nicht in seine Scheidung von Katherine of Aragon einwilligt. Er ernennt sich selbst zum Oberhaupt der neuen anglikanischen Kirche. Sie ist bis heute die Staatskirche. Bisher war Monarchen die Eheschließung mit Katholiken verboten, dies soll nun geändert werden.

1535 Der Humanist Thomas More (Thomas Morus), 1529 bis 1532 Lordkanzler, wird wegen religiöser Auseinandersetzungen mit Henry VIII. als Hochverräter hingerichtet.

1558–1603 Unter der Herrschaft von Elizabeth I. blühen Wirtschaft, Wissenschaft und Kultur. Die Periode wird daher auch das „goldene Zeitalter" genannt.

1588 Der spanische König Felipe II. schickt aufgrund der englischen Unterstützung der Freibeuterei und der Handelsbeziehungen Englands mit spanischen Kolonien die Armada an die Kanalküste. Die als unbesiegbar geltende Flotte wird vernichtend geschlagen.

1592 Erste Erwähnung William Shakespeares (1564–1616), der als Schauspieler in London agiert.

1599: William Shakespeare beginnt mit dem Bau des Globe Theatre in Southwark.

Haus Stuart (1603–1649 und 1660–1714)

1603 Mit James I. beginnt die Herrschaft der Stuarts.

1605 Katholiken unter der Führung von Guy Fawkes versuchen, das Parlament in die Luft zu sprengen („Gunpowder Plot"). Die Verschwörer werden verraten und hingerichtet.

1642–1649 Es gibt eine Auseinandersetzung zwischen Parlament und König. London unterstützt im Bürgerkrieg die Anhänger des Parlaments (die Rundköpfe) gegen die Unterstützer des Königs.

Commonwealth und Protektorat (1653-1659)

1649: Charles I. wird von den Puritanern hingerichtet. Oliver Cromwell regiert die puritanische Republik als Lord Protector.

1660: Restauration des Herrscherhauses Stuart unter Charles II. London hat mehr als 500.000 Einwohner, d. h. etwa 10 % aller Engländer leben in der Hauptstadt.

1665: Die Pest wütet in der Metropole (68.500 Todesopfer).

1666: Das Große Feuer von London legt vier Fünftel der mittelalterlichen Altstadt in Schutt und Asche. Der Architekt Christopher Wren wird mit dem Wiederaufbau betraut.

1685: James II. versucht, das Parlament aufzulösen.

1688/89: „Glorious Revolution" gegen James II. Die „Bill of Rights" wird formuliert. Wilhelm von Oranien wird als William III. Nachfolger des geflohenen James II.

◁ *Old London Bridge – die erste Steinbrücke über die Themse*

Von den Anfängen bis zur Gegenwart

1694: Gründung der Bank von England durch William III. mit dem Ziel, einen Krieg gegen Frankreich zu finanzieren

Haus Hannover (1714–1910)

1714 George I. begründet die Herrschaft des Hauses Hannover.

1759 Eröffnung des Britischen Museums, das aus einer 1753 erfolgten Stiftung von Sir Hans Sloane hervorgeht.

1801 Die erste offizielle Volkszählung ergibt für London 860.035 Einwohner.

1799–1828 Der Londoner Hafen wird ausgebaut, erhält eine Anzahl neuer Docks und avanciert zum größten Hafen des Landes.

1824 Gründung der National Gallery aus dem Vermächtnis des Kaufmanns und Sammlers John Julius Angerstein

1825–1831 Bau der neuen London Bridge

1836 Zwischen der London Bridge und Greenwich verkehrt der erste Londoner Eisenbahnzug.

1837–1901 Regierungszeit von Königin Victoria, die den Buckingham Palace zu ihrer Hauptresidenz macht. London erlebt eine rasante städtebauliche Entwicklung. In den Außenbezirken entstehen Vororte, die mit der City durch neue Eisenbahnlinien verbunden sind.

1840–1852 Die Parlamentsgebäude mit dem Uhrturm Big Ben werden errichtet.

1843 Die Nelson-Säule am Trafalgar Square wird zu Ehren von Admiral Nelson eingeweiht, der 1805 in der Schlacht von Trafalgar ums Leben kam.

1851 erste Weltausstellung (Great Exhibition) in London

1862 zweite Weltausstellung in London

1863 Eröffnung des ersten U-Bahn-Abschnitts zwischen Bishop's Road und Farringdon

1886–1894 Horace Jones und John Wolfe-Barry erbauen die Tower Bridge.

1908 Die vierten Olympischen Spiele der Neuzeit finden in London statt.

Haus Windsor (seit 1910)

1910 König George V. besteigt den Thron. Wie Victoria und Edward VII. entstammte er der Linie Sachsen-Coburg und Gotha. Die Verwandschaft mit dem deutschen Königshaus war jedoch wenig populär, da sich das Land als Feindesnation abzeichnete. George V. änderte seinen Titel 1917 daher zugunsten des „britischeren" Titels „Windsor" ab.

Von den Anfängen bis zur Gegenwart

1911 Eine Volkszählung für London ergibt 7 Mio. Einwohner.

1914–1918 Erster Weltkrieg: Durch deutsche Luftangriffe, u. a. mit Zeppelinen, kommen 2000 Bewohner der Hauptstadt ums Leben.

1939–1945 Zweiter Weltkrieg. 1940/1941 gibt es verheerende Luftangriffe auf London, von den Briten „Blitz" genannt, bei denen ca. 40.000 Menschen getötet werden. Große Teile der Stadt werden zerstört. Viele vor dem faschistischen Regime geflohene Exilregierungen lassen sich in London nieder.

Ab 1945 Wiederaufbau der Stadt mit Sanierung einzelner Viertel und Vororte

1948 Die 14. Olympischen Spiele finden in London statt.

1953 In der Westminster Abbey wird Elizabeth II. zur Königin gekrönt.

1990 Steuererhöhungen führen zu Demonstrationen und Protesten. Nach parteiinternen Machtkämpfen wird Margaret Thatcher von ihren Parteikollegen abgewählt. Neuer Regierungschef wird John Major und 1992 gewinnen die Konservativen erneut die Wahl.

1997 Im Mai gewinnt nach fast zwei Jahrzehnten in der Opposition die Labour Party wieder die Macht und stellt die Regierung. Premierminister wird Tony Blair. Unter dem Stichwort „New Labour" hatte sich die Partei von den Gewerkschaften abgewandt und den Begriff des Sozialismus aus ihrem Programm gestrichen. Die Bank von England wird nach deutschem Vorbild unabhängig, Schottland und Wales bekommen 1999 ein eigenes Parlament mit eingeschränkten Rechten. Prinzessin Diana stirbt im August 1997 bei einem Autounfall in Paris, was eine Trauerwelle auslöst.

2000 Nach der Gründung der Verwaltungsbehörde Greater London Authority (GLA) wird der ehemalige Labour-Politiker Ken Livingstone zum Bürgermeister gewählt.

2005 Im Juli verüben islamistische Selbstmordattentäter mehrere Bombenanschläge auf die Londoner U-Bahn und auf Nahverkehrsbusse. Sie töten über 50 und verletzen viele Hundert Menschen. Die rigiden Sperrzeiten der Pubs werden abgeschafft, Wirte dürfen jetzt auch nach 23 Uhr Alkohol ausschenken.

2008 Bei den Kommunalwahlen erhält der Konservative Boris Johnson die Mehrheit. Er ist bis heute amtierender Bürgermeister. Die Wirtschaftskrise (Credit Crunch) hat auch auf den Londoner Geldmarkt negative Auswirkungen. Viele City-Banker verlieren ihr Einkommen.

2010 Bei den Unterhauswahlen wird die Labour-Partei böse abgestraft. Trotzdem bekommen die Torys nicht die absolute Mehrheit und müssen mit den Liberaldemokraten koalieren.

2011: In den sozial benachteiligten Vierteln Londons gibt es gewalttätige Ausschreitungen, die jedoch nicht politisch motiviert sind. Im April 2011 heiratet der Enkel der Queen, Prinz William, die Bürgerliche Kate Middleton. Beide tragen nun die Titel Duke und Duchess of Cambridge.

2012: Die Queen feiert mit 60 Jahren im Amt ihr diamantenes Jubiläum. Die Sommerolympiade wird in London ausgetragen. The Shard, das größte Hochhaus Londons, wird fertiggestellt.

2013: Die Nation erwartet im Sommer den ersten Nachwuchs von Prinz William und seiner Frau Kate. Am 8. April verstirbt die umstrittene ehemalige Premierministerin Margaret Thatcher und erhält ein zeremonielles Begräbnis mit militärischen Ehren. Dies führt zu Protesten, da die Kosten in Höhe von mehreren Mio. Pfund trotz Wirtschaftskrise aus den Taschen der Steuerzahler kommen.

◁ *Die U-Bahn-Station Baker Street im Jahre 1863*

Leben in der Stadt

Mit rund 40.000 Einwohnern galt London Ende des 14. Jh. als eine der größten Städte Europas und bereits nach 1800 hatte man den Rang einer **Millionenstadt** erreicht. Während ab Mitte des 19. Jh. die City of London, das historische Kernstück der Stadt, einen rasanten Einwohnerschwund verzeichnete, stieg die Bevölkerung in den umliegenden Bezirken und Vororten explosionsartig an. Heute versteht man unter London einen urbanen Ballungsraum von rund **200 km Durchmesser**, in dem über **14,5 Mio. Menschen** leben und arbeiten.

Die Umgehungsautobahn M25 grenzt das Gebiet von **Inner London** ein. Zum **Großraum London** gehören die umliegenden *home counties* Essex, Hertfordshire, Buckinghamshire, Berkshire, Surrey und Kent.

Jeden Tag pendeln zahllose Menschen zur Arbeit in die Hauptstadt. Londons Einzugsbereich erstreckt sich in alle Himmelsrichtungen, zahlreiche **Pendlerzüge** bedienen die Routen. Einige Pendler *(commuters)* sind bis zu vier Stunden pro Tag „auf Achse" – sie nehmen dies aufgrund der höheren Gehälter in der Stadt in Kauf. Die mit den Berufspendlern verbundenen immensen organisatorischen Probleme löst die Behörde **Transport for London (TfL)**. Auf 18 Endbahnhöfen im Stadtgebiet und einer Vielzahl kleinerer Stationen sorgt sie alltäglich für eine zügige und pünktliche An- und Abfahrt.

Neben den **Zügen** ist das schnellste und wichtigste Verkehrsmittel der Stadt die U-Bahn, **Tube** („Röhre") genannt. Das älteste U-Bahn-Netz der Welt feierte 2012 seinen 150. Geburtstag. Es ist allerdings etwas in die Jahre gekommen und muss ständig saniert werden. Die Londoner verbindet eine Hassliebe mit ihrer Tube, denn sie bleibt zwar hin und wieder stecken, bietet aber die beste und verlässlichste Anbindung in alle Stadtbezirke. Daneben verkehren auf einem Streckennetz von 6670 km Länge Tausende zumeist doppelstöckige **rote Busse.** Hierzu gehören auch die „Routemaster"-Busse, die hinten eine offene Plattform zum Aufspringen haben.

Eine der wichtigsten Umwelt-Initiativen des Bürgermeisters Boris Johnson war die Einführung der sogenannten **„Boris Bikes"**. Mit den Leihfahrrädern kann man Parkplatzsuche, die **Congestion Charge** (eine „Staugebühr" für Leute, die mit dem Privatwagen in die Innenstadt fahren wollen) oder überfüllte U-Bahnen meiden.

Nicht nur die wirtschaftliche Bedeutung Londons, sondern auch die tolerante Haltung gegenüber anderen Kulturen bildete bereits in der Vergangenheit einen Anreiz für **Einwanderer** aus aller Herren Länder: Im 17. Jh. waren es die Hugenotten auf der Flucht vor religiöser Verfolgung, im 18. Jh. die Iren auf der Flucht vor Hungersnot und im 19. und 20. Jh. die Juden auf der Flucht vor dem Antisemitismus in Europa. Die Einwanderungswellen aus den Commonwealth-Ländern in Afrika, China, der Karibik und Indien in den 1950er- und 1960er-Jahren waren eine Antwort auf die neue Unabhängigkeit der Kolonien und die Anwerbung von Gastarbeitern für Stellen im öffentli-

▷ *Chinatown: London ist ein Schmelztiegel der Kulturen*

chen Dienst. Großbritannien ist und bleibt ein **Einwanderungsland** und London ist ein **Schmelztiegel für die unterschiedlichsten Kulturen**, in neuerer Zeit auch Einwanderer aus den Ländern Osteuropas.

Seit den 1990er-Jahren stellt man sich verstärkt den Anforderungen durch den **Multikulturalismus.** Verständnis und Toleranz werden aktiv gefördert und es gibt ein System für **Gleichberechtigungsquoten** (Equal Opportunities), dem sich Arbeitgeber, Schulen und andere Einrichtungen nicht entziehen können.

In Bezirken wie Brixton, Croydon und Peckham, in denen farbige Einwanderer dominieren, dauert der Integrationsprozess bis heute an. In stadtnahen Vierteln wie dem East End hat jedoch seit Längerem die **Gentrifizierung** eingesetzt: Zunächst zogen Künstler und Galeristen hierher, inzwischen sind es Yuppies und wohlhabendere Londoner, sodass Niedrigverdiener durch teure Mieten aus dem Viertel gedrängt wurden.

Das „wohlhabende London" wächst aus dem Zentrum heraus an und verdrängt weniger wohlhabende Einwohner ständig weiter in die Randbezirke. Dies betrifft durchaus nicht nur Einwanderer. Die **Mieten** in den Innenstadtbereichen sind zu hoch für Niedrigverdiener wie Krankenschwestern oder städtische Angestellte, Studenten oder Berufsanfänger. In innerstädtischen Bereichen wie der City of London leben bis heute neben Millionären paradoxerweise fast ausschließlich Sozialhilfeempfänger, deren Mieten von der Stadt gezahlt werden.

Als **kulturelles Zentrum Großbritanniens** konzentrieren sich in London die Medienfirmen, Theater und international anerkannte Museen. Sechs

weltberühmte Orchester residieren in in der Stadt, über 100 Theater bieten erstklassige Aufführungen. Hier finden Filmpremieren statt, die neuste Mode wird kreiert und es werden neue musikalische Trends gesetzt. Nicht zuletzt ist London aber auch eine **Universitätsstadt.** Die 1836 gegründete Universität besteht aus einer ganzen Anzahl von autonomen Colleges und Schools. Berühmte Colleges sind u. a. die **London School of Economics**, die nicht minder berühmte **London School of Oriental and African Studies** und das **Imperial College of Science and Technology.**

Die Queen im Wandel der Zeit

Laut einer Umfrage im Juni 2012 sind 90 % aller Briten zufrieden mit der Art und Weise, in der das Staatsoberhaupt, Queen Elizabeth II., ihr Amt ausübt. Politiker können von solchen Zahlen nur träumen – der Premier David Cameron bekam in derselben Umfrage nur 34 % der Stimmen.

Der Umgang der Queen mit dem Tod ihrer ehemaligen Schwiegertochter Diana hatte in den 1990er-Jahren vorübergehend das Bild einer kühlen, distanzierten Frau geprägt. Seit dem Goldenen Thronjubiläum im Jahr 2002 begann aber ein **Aufwärtstrend**, der sich stetig fortgesetzt hat. Die Hochzeit Prinz Williams mit Kate Middelton im April 2011 führte besonders bei der jüngeren Bevölkerung zu einer neuen Begeisterung für die Monarchie. Zudem betonen Familienmitglieder wie die Prinzen Charles, William und Harry oder Prizessin Beatrice in den Medien, wie sehr die Queen als Mutter und Großmutter geschätzt wird.

Seit 60 Jahren repräsentiert die Queen das Vereinigte Königreich und das Commonwealth. Sie ist neben Queen Victoria, die 63 Jahre im Amt war, die dienstälteste Monarchin der Nation. Bei ihrem Amtsantritt mit 26 Jahren schwor die heute 86-Jährige, dass sie „ihr ganzes Leben dem Dienst an der Nation widmen wolle". Diesem Grundsatz ist sie treu geblieben. Bereits als junges Mädchen wurde Elizabeth in die Arbeit der königlichen Familie einbezogen. 1942 wurde sie **ehrenamtlicher Oberst der Grenadier Guards.** Ihre Truppen inspiziert die Queen alljährlich bei der Parade „Trooping the Colour". 1945 wurde sie **Subalternoffizierin beim Heimathilfsdienst** und machte dort eine Ausbildung zur **Automechanikerin** und **Fah-**

rerin. 1947 heiratete sie **Prinz Philip** aus dem Hause Schleswig-Holstein-Sonderburg-Glücksburg.

Die Queen erfüllt unermüdlich ihre **Aufgaben**, beantwortet Briefe, hält Audienzen ab und unterstützt über 600 Wohltätigkeitsorganisationen. Hinzu kommen Empfänge und Reisen: Insgesamt besucht sie bis zu 500 Veranstaltungen pro Jahr, d. h. oft mehrere an einem Tag. Jeden Mittwoch wird sie vom Premierminister über die Regierungsgeschäfte informiert. Die Queen hat 12 Premiers kommen und gehen sehen – einige waren noch nicht geboren, als sie gekrönt wurde.

In den letzten Jahren hat die Königin immer mehr Verantwortung an **jüngere Familienmitglieder** delegiert. Neben dem Prince of Wales und seiner Frau Camilla übernehmen auch die Prinzen William und Harry repräsentative Funktionen. Das Königshaus hat außerdem seine eigene Website, einen YouTube-Kanal und ist auch bei Facebook und Twitter vertreten.

Zu den größten **Kritikpunkten** der Monarchiegegner gehören die Unterhaltskosten. Die königlichen Ländereien erwirtschaften ca. 304 Mio. Pfund pro Jahr. Aus diesen Einnahmen erhält die Queen für laufende Kosten momentan pro Jahr 15 %, ca. 33 Mio. Pfund. Es ist aber unwahrscheinlich, dass die Briten sich in naher Zukunft für die Alternative einer Republik entscheiden: Nur 15 % der Bevölkerung befürworten die Einsetzung eines gewählten Repräsentanten. Die **parteilose Queen** gilt als unbeugsame Konstante und Fels in der Brandung. Der Journalist Jeremy Paxman nannte sie die „gütige Großmutter der Nation". Big Ben wurde 2012 der Queen zu Ehren in **Elizabeth Tower** umbenannt.

London entdecken

Mayfair, Soho, Covent Garden

Ausgangspunkt für eine Erkundungstour ist die U-Bahn-Station Green Park. In Richtung Osten spaziert man entlang des Boulevards Piccadilly durch das Südende des teuren Wohnviertels Mayfair. Zu den edlen Einkaufsstraßen des Bezirks gehören die Bond Street, die Jermyn Street und die Savile Row, die Maßschneider und Zubehör für den „Gentleman" bieten. Vorbei am Piccadilly Circus geht es nach Soho, einst Hochburg der Musikszene, dann zum zentralen Trafalgar Square und über den Leicester Square ins Theaterland. Von dort gelangt man ins belebte Covent Garden mit seinen Cafés, Restaurants und Geschäften.

❶ The Ritz Hotel ★   [L13]

Auf der rechten Seite passiert man zunächst eines der edelsten Hotels der Stadt, das traditionsreiche, 1906 eröffnete Ritz – damals die einzig akzeptable Herberge für den begüterten Gentleman. Wer einen Blick auf das elegante Ambiente werfen möchte, kann z. B. stilvoll seinen **Afternoon Tea** mit einer Auswahl an Kuchen und Sandwiches im spektakulären Palm Court einnehmen (Buchungen über die Website, ab 42 £ pro Person). In den öffentlichen Bereichen des Hotels gilt ein formaler Dress Code.
› 150 Piccadilly, Tel. 74938181, www. theritzlondon.com, U-Bahn Green Park

‹ *Vorseite: Der kontrastreiche Eingang des Victoria and Albert Museum* ❻❾

› *Das West End ist das Zentrum der Theater- und Kinolandschaft*

❷ Burlington Arcade ★   [L13]

Wenige Schritte weiter findet sich linker Hand die edle, mit einem Glasdach überspannte Burlington Arcade aus dem Jahr 1819. In der **Ladenpassage** erwartet eine Anzahl exklusiver Geschäfte den **betuchten Kunden.** Dass es hier gesittet zugeht, dafür sorgen von jeher die **Beadles:** kräftige Herren in edwardianischer Kleidung und mit einem Zylinder auf dem Kopf.

Auf der anderen Straßenseite befindet sich hinter Fortnum & Mason ❹ die **Prince's Arcade** aus dem Jahr 1883.
› www.burlington-arcade.co.uk, Tel. 7630141, Mo–Fr 10–19, Sa 9–18.30, So 11–17 Uhr, U-Bahn Green Park oder Piccadilly Circus

❸ Royal Academy of Arts ★★★   [L13]

Neben der Burlington Arcade ragt die imposante Fassade von **Burlington House** auf, in dem die Royal Academy of Arts ihren Sitz hat. Der 3. Earl of Burlington ließ Anfang des 18. Jh. sein Stadtpalais im palladianischen Stil umbauen. Um 1850 kamen weitere Bauten zu dem Komplex hinzu. Zuletzt wurde das Gebäude von Sir Norman Foster restauriert.

Die **Royal Academy of Arts** finanziert eine Kunstschule und organisiert Ausstellungen. Das größte Event ist die jährliche **Summer Exhibition,** bei der jeder, der möchte, ein Werk einreichen darf. Aus Tausenden von Einsendungen wird dann eine Auswahl getroffen, die in der Ausstellung gezeigt wird. Außerdem dürfen die Absolventen der Akademie bis zu sechs ihrer Werke ausstellen. Hier-

071ln Abb.: nh

durch entsteht eine unglaubliche Vielfalt an Werken, die jedes Mal sehenswert ist. Das ganze Jahr über wird aber auch eine Vielzahl an **Wechselausstellungen** zu verschiedenen Themenbereichen gezeigt.
❯ Burlington House, Piccadilly, Tel. 73008000, www.royalacademy.org.uk, Sa–Do 10–18, Fr 10–22 Uhr, Eintritt frei (außer bei Sonderausstellungen), U-Bahn Piccadilly Circus oder Green Park

❹ Fortnum & Mason ★ [L13]

Gegenüber der Royal Academy of Arts hat das traditionsreiche **Kolonialwarengeschäft und Delikatessenkaufhaus** Fortnum & Mason seinen Sitz. Anfang des 18. Jh. eröffnet, beliefert es seit 1863 auch das Königshaus. Die **Schaufenster** sind immer spektakulär gestaltet und auch innen glaubt man sich fast in einem Museum – die Produkte sind, Preziosen gleich, kunstvoll arrangiert. Der unaufdringliche Service der Angestellten gilt weltweit als unübertroffen. In den **Restaurants** Fountain und The Gallery bekommt man feine britische Küche, Café und Kuchen gibt es im Parlour.

❯ 181 Piccadilly, Tel. 0845 3001707, www.fortnumandmason.com, Mo–Sa 10–20, So 12–18 Uhr, U-Bahn Piccadilly Circus

❺ Piccadilly Circus ★ [L13]

Der Piccadilly Boulevard mündet in den Piccadilly Circus, an dem riesige **Reklameschilder** blinken. Vier Straßen laufen sternförmig auf den Platz zu: Nach Norden verläuft die Shaftesbury Avenue quer durch Soho und ins Theaterviertel, östlich führt die Coventry Street zum Leicester Square und die Cranbourn Street weiter nach Covent Garden. Von der Regent Street mit ihren exklusiven Geschäften geht es nordwestlich zur Haupteinkaufsstraße Oxford Street.

In der Vergangenheit saßen Touristen auf den Stufen des **Eros-Brunnens** inmitten des Verkehrs, in den letzten Jahren wurde der Platz jedoch fußgängerfreundlicher gestaltet. Der Brunnen ist nun in eine erweiterte **Fußgängerzone** eingebaut, die sich im Süden des Platzes erstreckt. Er entstand 1893 im Gedenken an den **7. Earl of Shaftesbury,** der sich durch seine Wohltätig-

⌃ *Piccadilly Circus –*
der Eros-Brunnen lädt zur Rast ein

keit auszeichnete. Der geflügelte Engel ist ein Symbol der Mildtätigkeit, sein Pfeil eine Allegorie auf den toten Earl: *shaft* = Pfeil, *bury* = begraben.
› Piccadilly Circus,
   U-Bahn Piccadilly Circus

❻ Soho ★★ [M12]

Das bekannte Viertel Soho wird von Regent Street, Oxford Street, Shaftesbury Avenue und Coventry Street eingerahmt. Vor der Besiedelung war die Gegend ein Jagdrevier: Mit dem Ruf „So-Ho" scheuchte man das Wild auf. Ab dem Jahr 1685, als hier die ersten Hugenotten einzogen, war Soho bei Einwanderern ein beliebtes Viertel. Rund um die Gerrard Street zeugt noch heute **Chinatown** von der multikulturellen Vergangenheit. In der Dean Street Nr. 28 logierte **Karl Marx** mit seiner Familie sechs Jahre lang in großer Armut. Von hier aus trat er täglich den kurzen Fußweg zum Lesesaal des British Museum an, wo er am „Kapital" schrieb.

In den Gassen von Soho reihen sich Pubs, Cafés, Kioske, Imbissbuden, Restaurants, Lebensmittelläden, Delikatessengeschäfte, Obst- und Gemüsestände aneinander. Ein nur kleiner Bereich, der dem Viertel aber einst seinen verruchten Ruf einbrachte, ist der **Red Light District** rund um die Brewer Street und Great Windmill Street mit seinen Peepshows, Pornokinos und Striplokalen. Neben dem Rotlichtbezirk hatten sich in den 1950er- und 1960er-Jahren **Jazzklubs** und **Musikstudios** im Viertel angesiedelt, in denen die damalige Szene die Nacht durchtanzte. Von ihnen ist nur noch der legendäre Jazzklub **Ronnie Scott's** (s. S. 34) in der Frith Street geblieben, wo bis heute internationale Musiker auftreten.

Café mit Tradition

Beim Bummel durch Soho sollte man in der **Bar Italia** (s. S. 29) Rast machen. Das italienische Café-Restaurant ist seit 1949 in Familienbesitz und zu einer Institution im Viertel geworden. Es ist rund um die Uhr geöffnet und hier kehrt auch schon mal der ein oder andere „Star" ein.

Der Kaffee wird hier genau nach den Wünschen des Gastes zubereitet und man rühmt sich, dass die Angestellten kein Gesicht vergessen, sodass man bereits beim zweiten Besuch automatisch seinen Wunschkaffee erhält.

Heute ist Soho Heimat von zwei legendären **Privatklubs,** in denen Pop- und Filmstars sich den Augen der Öffentlichkeit entziehen und unter ihresgleichen sein können. Der Groucho Club in der Dean Street öffnete 1985 seine Pforten und das Soho House, ebenfalls in der Dean Street, 1995. Hier findet nur Aufnahme, wer entsprechende Verbindungen hat.

In der Old Compton Street und der Wardour Street befindet sich die **Schwulenhochburg** der Metropole und hier reihen sich die Klubs und Cafés aneinander.

Im Westen von Soho verläuft parallel zur Regent die **Carnaby Street.** In den 1960er-Jahren war sie das Zentrum der sogenannten „Swinging Sixties", heute ist sie Teil des Einkaufsviertels rund um die Oxford Street.
❯ U-Bahn Piccadilly Circus, Oxford Circus
   oder Tottenham Court Road

❼ Trafalgar Square ★★★ [M13]

Vom Piccadilly Circus gelangt man über die Straße Haymarket zum Trafalgar Square, einem der **zentralsten Plätze Londons.** Unentwegt schieben sich rote Doppeldeckerbusse um das geschäftige Areal, das immer von Menschenmengen bevölkert ist. Auf den Rändern des großen **Brunnens** von Edwin Luytens aus dem Jahr 1939 und auf den Stufen, die zur **National Gallery** ❽ hinaufführen ruhen sich erschöpfte Touristen aus.

Überwacht wird der Trafalgar Square von der Statue von **Lord Nelson,** die sich auf der 56 m hohen Nelson's Column befindet. Im Jahre 1805 hatte Horatio Nelson die britische Flotte in der Schlacht von Trafalgar zum Sieg geführt, England damit die Seeherrschaft auf allen Weltmee-

⌃ Lord Nelson thront hoch über dem Trafalgar Square

ren gesichert und die Voraussetzung für Britanniens imperiale Größe im 19. Jh. geschaffen. Die Säule wird von vier gewaltigen Bronzelöwen bewacht, die von Edwin Landseer 1867 gestaltet wurden und auf denen heute gerne Kinder herumklettern.

An drei Ecken des Platzes erinnern die Statuen von **George IV., General Napier** und **General Havelock** an die einstige nationale Glorie des Empire. Der vierte Sockel, genannt „Fourth Plinth", dient seit 1998 für regelmäßige **Ausstellungen** von Skulpturen nationaler und internationaler Künstler. Die derzeitige pazifistische Figur eines goldenen Kindes auf einem Schaukelpferd der Künstler Elmgreen & Dragset wird 2013 durch die Skulptur „Hahn/Cock" der deutschen Künstlerin Katharina Fritsch ersetzt. Der kobaltblaue Hahn thematisiert die männliche Selbstdarstellung.

In der Silvesternacht begrüßen die Londoner traditionell auf dem Trafalgar Square das neue Jahr und auch den Rest des Jahres finden **Veranstaltungen** statt.

Im Nordosten des Square ragt die von James Gibb 1722 bis 1726 erbaute Kirche **St. Martin-in-the-Fields** auf. In ihrer Krypta gibt es ein großes, gemütliches Café, in dem man sich von der Stadterkundung erholen kann. In der Woche finden hier Lunchtime-Konzerte statt (Mo, Di, Fr) und mittwochabends Jazzkonzerte.
> Trafalgar Square, U-Bahn Charing Cross

❽ National Gallery ★★★ und National Portrait Gallery ★★★ [M13]

Die von William Wilkens errichtete und 1838 eingeweihte **National Gallery** ist die **größte Gemäldegalerie der Welt** und ging aus mehreren kleinen Privatsammlungen her-

vor. Die ursprüngliche Sammlung des Bankiers John Julius Angerstein wurde unter anderem durch Schenkungen von Sir Robert Peel im Jahr 1871 und J. W. Turner im Jahr 1865 ständig erweitert. Zu besichtigen sind heute Werke holländischer, flämischer, französischer, italienischer und spanischer Meister vom 13. bis zum frühen 20. Jh. Darunter befinden sich weltbekannte Gemälde wie van Goghs „Sonnenblumen" und Botticellis „Venus und Mars". Im Sainsbury Wing aus dem Jahr 1991 befinden sich vornehmlich Werke aus der Renaissance.

An der Ostseite der National Gallery findet man den Eingang zur **National Portrait Gallery.** Hier sind Hunderte von Porträts zu sehen, z. B. von britischen Monarchen, Wissenschaftlern, Künstlern, Literaten, Architekten und Politikern, außerdem gibt es Sonderausstellungen.
> **National Gallery,** Trafalgar Square, Tel. 77472885, www.nationalgallery.org.uk, tgl. 10–18, Fr 10–21 Uhr, Eintritt frei, U-Bahn Charing Cross
> **National Portrait Gallery,** St. Martin's Place, Tel. 73060055, www.npg.org.uk, tgl. 10–18, Do, Fr 10–21 Uhr, Eintritt frei, U-Bahn Charing Cross oder Leicester Square

❾ Leicester Square ★ [M13]

Über die Charing Cross Road, bekannt für ihre Buchläden und Antiquariate, gelangt man nach Norden zum Leicester Square. Mehrere große **Kinos** säumen den Platz und in den umliegenden Straßen – Shaftesbury Avenue, Haymarket, Charing Cross

028in Abb.: hs

◁ *Blick über den Trafalgar Square auf die National Gallery*

Road, Strand, St. Martin's Lane, Drury Lane und Covent Garden – befindet sich das sogenannte „Theaterland". Am frühen Abend strömen Tausende in die vielen Schauspielhäuser und Kinos und bevölkern danach die umliegenden **Restaurants** und **Kneipen.**

Im Zentrum des Platzes ehrt eine Statue **Charlie Chaplin** und an den Ecken finden sich Denkmäler berühmter ehemaliger Anwohner wie William Hogarth, Joshua Reynolds und Isaac Newton.

Immer belagert ist der Kiosk, an dem es Theaterkarten für denselben Tag zum halben Preis gibt (**Half Price Ticket Booth**, s. S. 110) und hier befindet sich auch das **London Information Centre** (s. S. 109), dessen Mitarbeiter alle Fragen der Besucher kompetent beantworten und auch Hotelbuchungen vornehmen können.
❯ U-Bahn Leicester Square

⑩ Covent Garden ★★★ [M12]

Covent Garden ist nur einen Steinwurf vom Leicester Square entfernt und über die Cranbourn Street erreichbar. Einst befand sich hier der Klostergarten der **Mönche der Westminster Abbey** ⑯, die die Überschüsse aus ihrer Agrarproduktion in Covent Garden verkauften. Im 17. Jh. erhielt die Familie des Duke of Bedford eine Lizenz, um einen **Obst- und Gemüsemarkt** abzuhalten.

1830 baute der Architekt John Fowler die **Markthallen,** die einige Jahre später mit einer gusseisernen Konstruktion überdacht wurden. Ab dann entwickelte sich Covent Garden Market zum größten Obst-, Gemüse- und Blumenmarkt in ganz London.

In den 1980er-Jahren wurde das historische Marktgebäude renoviert und es zogen **Kunsthandwerksge**schäfte und **Cafés** ein. Heute ist das Viertel eines der **belebtesten Touristenzentren Londons** und ein kompaktes Einkaufsviertel. **Straßenkünstler** unterhalten die Gäste der umliegenden Cafés.

International bekannt wurde das Viertel durch das Musical „**My Fair Lady**": Die „Cockney" sprechende Eliza Doolittle verkauft ihre Blumen auf dem Markt in Covent Garden und bekommt von Professor Higgins vor der **St. Paul's Church** Sprachunterricht.
❯ U-Bahn Covent Garden

⑪ Royal Opera House ★★ [M12]

Von Covent Garden aus entwickelte sich die reiche **Theatergeschichte** des West Ends. Während unter Cromwells puritanischer Herrschaft die elisabethanischen Theater schließen mussten, begann unter Charles II. eine neue Blüte der Aufführungshäuser.

In der Drury Lane entstand das Theatre Royal und nahebei das **Royal Opera House.** Das derzeitige, dritte Opernhaus (die zwei Vorgänger wurden durch Brände beschädigt) mit seinen korinthischen Säulen und dem darauf ruhenden Portikus wurde 1858 nach den Entwürfen von Edward Middleton Barry fertiggestellt. Berühmt ist die 2000 Besucher fassende Londoner Oper für ihre **ausgezeichnete Akustik.**

Zusätzlich zum großen Saal bietet das Haus noch das 400 Plätze fassende **Linbury Studio Theatre**, in dem Kammermusik, aber auch experimentelle Stücke gegeben werden, und das **Clore Studio,** in dem Tanzaufführungen stattfinden.
❯ Covent Garden, Tel. 73044000,
   Kartenverkauf Mo – Sa 10 – 20 Uhr,
   www.roh.org.uk, U-Bahn Covent Garden

Westminster – die „Corridors of Power"

Von **Trafalgar Square** ❼ führt die Straße **Whitehall** nach Süden ins Regierungsviertel. Die Ursprünge von Westminster als Zentrum der Macht gehen auf den Angelsachsen **Edward the Confessor** (1042–1066) zurück. Er verließ als erster die Stadtmauern der City und baute am Ufer der Themse den **Westminster Palace,** in dem die englischen Könige bis ins 16. Jh. hinein residierten. Edward begann auch mit dem Bau der **Westminster Abbey** ⓰, in der sich Wilhelm der Eroberer 1066 bereits krönen ließ – wie auch alle englischen Könige nach ihm. Nach einem Großbrand im Westminster Palace entstand unter Henry VIII. der mächtige Whitehall Palace an der Themse, aber auch er fiel 1698 den Flammen zum Opfer. „Überlebt" hat einzig das **Banqueting House** ⓭.

Heute wird das Königreich vom Unterhaus und Oberhaus in den **Houses of Parliament** ⓯ regiert, der Premierminister hat seinen Sitz in der **Downing Street** ⓮ und die Queen nicht weit davon entfernt im **Buckingham Palace** ⓴.

⓬ **Horse Guards** ★★ [M13]

Nach wenigen Schritten entlang der Straße Whitehall kommt auf der rechten Straßenseite eine beliebte Touristenattraktion Londons in den Blick: die Horse Guards. Umlagert von fotografierenden Besuchern, lassen **die berittenen Soldaten der Königlichen Leibgarde** die Neckereien des Publikums stoisch über sich ergehen. Im Torbogen hält ein weiterer Soldat der Königlichen Leibgarde Wache und unternimmt – sehr zur Freude der kamerabewehrten Besucher – alle paar Minuten mit geschultertem Gewehr einen kurzen Marsch über das Areal. Bei der Wachablösung um 11 Uhr morgens gibt es dann eine ausgedehnte Zeremonie zu sehen.
❭ Whitehall, U-Bahn Charing Cross

⓭ **Banqueting House** ★★[M13]

Gegenüber den Horse Guards befindet sich das architektonisch bedeutsame Banqueting House. Es ist der einzig verbliebene Rest des ehemaligen **Palace of Whitehall,** der sich an der Themse entlang erstreckte und durch ein Durcheinander von verschiedenen Baustilen auszeichnete.

Unter James I. wurde **Inigo Jones** (u. a. auch Erbauer des Queen's House in Greenwich, s. S. 99) 1622 mit dem Bau eines neuen Bankettgebäudes beauftragt. Jones entwarf es im palladianischen Stil der italienischen Renaissance und wurde damit zum Vorreiter des Klassizismus in England. Seine Pläne für eine komplette Umgestaltung des Palastes wurden jedoch nie realisiert.

Die großartigen **Deckengemälde** in dem 34 x 17 m großen Zeremonien- und Bankettsaal des Hauses schuf **Peter Paul Rubens** im Auftrag von **Charles I.** Sie zeigen den Auftraggeber und seinen Vater als gottgleiche Herrscher. Die absolutistische Politik von König Charles I. führte schließlich zum Bürgerkrieg und kostete ihn das Leben. Am 30. Januar 1649 wurde er vor dem Banqueting House geköpft. Eine Büste des Herrschers markiert

❭ *Die Houses of Parliament* ⓯*, das Zentrum der Macht*

im Treppenhaus die Stelle, wo er durch ein Fenster das Schafott betrat. Fünf Jahre später ernannte man den Republikaner **Oliver Cromwell** zum Lord Protector.

Nur bei gelegentlich stattfindenden Staatsempfängen ist das Banqueting House geschlossen, ansonsten kann das Gebäude mit der beeindruckende Rubens-Decke besichtigt werden.

❯ Whitehall, Tel. 0870 7515178, www.hrp.org.uk, tgl. 10–17 Uhr, Eintritt: Erw. 5 £, erm. 4 £, U-Bahn Charing Cross

⓮ Downing Street ★ [M14]

Ein Stück weiter stößt man auf der rechten Straßenseite auf eine schmale Gasse, die durch ein hohes schmiedeeisernes Gitter abgesperrt ist, welches 1991 nach einem Anschlag durch die IRA (Irish Republican Army) errichtet wurde. Seit dem Amtsantritt von Robert Walpole haben in der **Downing Street No. 10** alle **britischen Premierminister** residiert.

Im Erdgeschoss befindet sich der Sitzungssaal des Kabinetts, darüber liegen die Privatgemächer des Premiers. Im Haus Nr. 11 hat der Schatzkanzler sein offizielles Domizil. Hinter der Häuserfront gibt es viele Verbindungsgänge mit den Ministerien und den Parlamentsgebäuden. An die Downing Street schließt sich das **Foreign Office**, das Außenministerium, an, gefolgt von **The Old Treasury**, dem alten Schatzamt bzw. Finanzministerium.

Auf dem Mittelstreifen der Fahrbahn von Whitehall erhebt sich der im Jahr 1919 von Sir Edwin Lutyens geschaffene **Cenotaph**, ein Marmordenkmal, das an die Gefallenen des Ersten Weltkriegs und aller nachfolgenden Kriege erinnert. Am Remembrance Day, dem Sonntag vor oder nach dem 11. November, legt die Königin einen Kranz nieder und es gibt eine Parade verschiedener Regimenter. Um 11 Uhr am 11. November 1918 endete der Erste Weltkrieg mit der Unterzeichnung des Waffenstillstands durch die

Deutschen. Jedes Jahr wird daher an diesem Tag um 11 Uhr landesweit eine Schweigeminute eingelegt. Auch in den Commonwealth-Ländern, deren Regimenter unter britischer Flagge kämpften, werden entsprechende Zeremonien abgehalten.

❯ Downing Street, U-Bahn Westminster

⓯ Houses of Parliament ★★★ [M14]

Die Straße Whitehall öffnet sich auf den Parliament Square mit den Houses of Parliament. Die ursprünglichen **Parlamentsgebäude** brannten 1834 bis auf die Grundmauern nieder und die Architekten Charles Barry und Augustus Pugin gewannen die Ausschreibung für den Neubau im neogotischen Stil. Nach 20 Jahre dauernden Bauarbeiten stellte man auch den weltberühmten Uhrenturm **Big Ben** fertig. Das Wahrzeichen Londons war bisher als „Clock Tower" bekannt, wurde zum Diamantenen Thronjubiläum von Queen Elizabeth II. 2012 offiziell in **Elizabeth Tower** umgetauft. Das Glockenspiel, das die Uhrzeit angibt und auch den Nachrichten der Radiostation BBC 4 vorangestellt ist, gibt eine Klangfolge aus Händels „Messias" wieder.

Die Briten sind stolz auf den frühen Beginn ihrer demokratischen Geschichte: Bereits im Jahr 1215 zwangen 25 Adlige König Johann Ohneland (John Lackland), die **Magna Charta** anzuerkennen, die die Macht des Königs gegenüber den Bürgern erstmalig beschnitt. Sie war die weltweit erste Niederschrift von Bürgerrechten. Unter Simon de Montfort setzten sich die Adligen gegen hohe Besteuerung zur Wehr und man berief 1265 ein Parlament ohne Anwesenheit des Königs Henry III. ein.

Der nachfolgende Herrscher Edward I. erkannte die Notwendigkeit für Reformen und etablierte eine ständige Ratsversammlung, den Great Council, der auch als **Model Parliament** (1295) bezeichnet wurde und als Vorläufer des späteren Parlaments gilt. Im 14. Jh. trennte sich die Versammlung in zwei Häuser, das spätere Oberhaus (**House of Lords**) und das Unterhaus (**House of Commons**).

Am 5. November 1605 trug sich in den Kellergewölben des Oberhauses der sogenannte **Gunpowder Plot** zu. **Guy Fawkes**, ein Katholik, wurde in letzter Minute dabei ertappt, wie er James I., seine Minister und die Lords mit einer großen Menge Schwarzpulver in die Luft sprengen wollte. Nach dem Anschlag sollte ein katholischer Monarch auf den Thron gesetzt werden. Fawkes und seine Mitverschwörer wurden grausam hingerichtet und die Keller des Gebäudes werden nun jedes Jahr vor der Parlamentseröffnung nach einem festgelegten Ritual durchsucht.

Charles I. (1625–1649) wollte absolutistisch regieren und versuchte 1642 sogar, im House of Commons aufrührerische Parlamentsmitglieder zu verhaften. Dies begünstigte den Ausbruch des **Englischen Bürgerkriegs**, in dem Charles von puritanischen Republikanern hingerichtet wurde. Seitdem ist es übrigens keinem Monarchen mehr gestattet, das Unterhaus persönlich zu betreten.

1688 kam es unter James II. zur **Glorious Revolution**, in der das System der konstitutionellen Monarchie erstritten wurde. In der **Bill of Rights** wurden 1689 die Rechte und Pflichten des „King in Parliament" formuliert und endgültig festgeschrieben.

Ab dem 18. Jh. begann sich die Position des **Prime Minister** abzuzeichnen, der nach und nach mehr Einfluss gewann und dann als Sprachrohr für das Parlament diente. Heute hat der Premierminister eine wöchentliche Zusammenkunft mit der amtierenden Queen, in der er sie über aktuelle Regierungsbelange informiert.

Die Queen übt als **Head of State** lediglich eine repräsentative Funktion aus. Das System der einst erblichen Ämter (**Peerage**) im House of Lords wurde ebenfalls reformiert. Heute wird ein Großteil der Mitglieder aufgrund ihrer Verdienste ernannt und erhält den Titel nicht automatisch. Dies garantiert eine breite Zusammensetzung aus verschiedenen Gesellschaftsschichten.

Der Besuchereingang zum Parlament befindet sich im **Victoria Tower**, der 1860 vollendet wurde. Während das Parlament tagt, kann man als Besucher auf der Galerie zuhören, allerdings gibt es dann für Touristen keine Führungen. In den Parlamentsferien von Anfang August bis Ende September sind das Unter- und das Oberhaus auf 75-minütigen geführten Touren zu besichtigen.

❭ Parliament Square, Ticket-Vorbuchungen für die geführten Touren: Tel. 0844 8471627, www.parliament.uk, Di– Sa 9.15–16.30 Uhr, Eintritt: Erw. 16,50 £, erm. 14 £, Kinder 7 £, U-Bahn Westminster

⑯ Westminster Abbey ★★★ [M14]

Unmittelbar hinter Big Ben erhebt sich die gewaltige Westminster Abbey – mit **400 Grabdenkmälern** und **3000 Gedenktafeln** eines der bedeutendsten Bauwerke Großbritanniens und der englischen Gotik. Die 156 m lange und 61 m breite Westminster Abbey hat den Grundriss eines lateinischen Kreuzes und ist über 30 m hoch. Seit Wilhelm der Eroberer 1066 in der Abtei zum König ausgerufen wurde, fanden die **Krönungsfeierlichkeiten** für alle englischen Monarchen hier statt. Viele sind auch in dem Gotteshaus bestattet. Nicht zuletzt war die Abtei auch Schauplatz zahlreicher königlicher Hochzeiten, zuletzt der von Prinz William mit Kate Middleton.

Der letzte angelsächsische König, Edward the Confessor, ließ 1042 auf den Fundamenten einer Benediktinerkirche aus dem 7./8. Jh. eine Kirche und ein Bendiktinerkloster im normannisch-romanischen Stil errichten. Unter Henry III. wurde das Gebäude **im Stil der englisch-französischen Gotik** erweitert und für die Gebeine Edwards wurde ein Schrein errichtet. Erst um 1517 wurde der Bau von **Henry Yevele** fertiggestellt.

Im Rahmen der im Eintrittspreis enthaltenen **Audiotour** (auch auf Deutsch) betritt man die Abtei durch das prunkvolle Nordportal, wo in der **Statesmen Aisle** große Staatsmänner wie die Premierminister William Pitt d. J. (1759–1806), William Gladstone (1809-1898) und Benjamin Disraeli (1804-1881) beigesetzt sind. Dann passiert man auf der rechten Seite die **Orgel** und das **Chorgestühl.** Nördlich davon finden sich **Gräber und Denkmäler britischer Komponisten** wie Henry Purcell (1659-1695), der hier auch als Organist fungierte, und Edward Elgar (1857-1934), dessen Stück „Nimrod" aus dem Zyklus Enigma Variations bei den BBC Proms zum Standard gehört.

Auf der linken Seite öffnet sich der **Altarraum,** der das Herz der Abtei bildet. Dahinter steht der Schrein für Eduard den Bekenner, rundherum finden sich die Gräber von Henry III., Edward I., Edward III. sowie Richard

II. Dahinter schließt sich die von Henry Yevele im englischen Perpendikularstil angefügte **Kapelle Henry VII.** (auch Lady's Chapel genannt) an. Hier wurden die Tudorherrscher beigesetzt, darunter Elizabeth I. und ihre katholische Halbschwester Mary I., die auch „Bloody Mary" genannt wurde, da sie so viele „protestantische Ketzer" hinrichten ließ. Das Grab der schottischen **Königin Mary Stuart**, die 1587 auf Befehl Elizabeths I. hingerichtet wurde, befindet sich auf der Südseite.

Wendet man sich wieder in den Altarraum, befindet sich links der **Poet's Corner**, der dem Andenken an die Größen der englischen Literatur gewidmet ist: von Geoffrey Chaucer über Dr. Samuel Johnson, Charles Dickens und Rudyard Kipling sind hier viele Dichter begraben. Noch viele mehr werden mit einem Gedenkstein geehrt: Von Shakespeare über Lord Byron, Thomas Hardy, Dylan Thomas, Lewis Caroll bis zu Oscar Wilde entdeckt man hier viele bekannte Namen.

Vom südlichen Querschiff führt ein Gang nach Norden in den hübschen **Kreuzgang** der einstigen Klosteranlagen. Gegenüber sieht man ein achteckiges Kapitelhaus aus dem Jahr 1270. Im **Abteimuseum**, am Ende des Ganges in der Krypta, kann man viele königliche und bischöfliche Insignien sehen. Auf dem Rückweg gelangt man rund um die Kreuzganganlage zurück zum Kirchenschiff mit dem Ausgang am Westportal.

❯ The Chapter Office, 20 Deans Yard, Tel. 72225152, www.westminster-abbey.org, Mo, Di, Do, Fr, Sa 9.30–15.30, Mi 9.30–18, Eintritt (inkl. Audioguide): Erw. 18 £, erm. 15 £, Kinder 11–18 Jahre 8 £, U-Bahn Westminster

❯ Di und Mi gibt es um 17 Uhr einen Gottesdienst für die Bewohner und Besucher der Metropole, dann singt auch der berühmte Knabenchor.

⓱ Cabinet War Rooms und Churchill Museum ★ [M14]

Von der Westminster Abbey aus überquert man **Parliament Square** mit dem Denkmal für den ehemaligen Premierminister **Winston Churchill**, geht nach links in die Great George Street und biegt sofort nach rechts in die Horse Guards Road ein. Nach wenigen Metern erreicht man rechter Hand eine Außenstelle des **Imperial War Museum**: die Cabinet War Rooms, die bombensichere, unterirdische **Befehlszentrale** von Winston Churchill. Während des Zweiten Weltkriegs war hier sein Kommandostab untergebracht. Den Cabinet War Rooms ist ein interaktives **Churchill Museum** angeschlossen, das die politischen Leistungen und das Leben des Kriegspremiers würdigt.

> Clive Steps, King Charles Street, Tel. 79306961, www.iwm.org.uk, tgl. 9.30–18 Uhr, Eintritt: Erw. 17 £, erm. 13,60 £, Kinder frei, U-Bahn Westminster

18 Horse Guards Parade ★★ [M13]

Spaziert man die Horse Guards Road weiter geradeaus, so öffnet sich nach rechts der **Exerzierplatz** Horse Guards Parade, auf dem eine Statue an einen der letzten großen Kolonialoffiziere erinnert: **Lord Louis, Earl Mountbatten of Burma** (1900–1979). Der Großonkel von Prinz Charles wurde 1979 von der IRA auf seinem Boot in die Luft gesprengt. Der Earl stammte übrigens aus dem hessischen Adelsgeschlecht derer von Battenberg (Mountbatten ist eine anglisierte Version des Namens).

Auf dem Exerzierplatz nimmt die Königin alljährlich am 10. Juni zu ihrem offiziellen Geburtstag die Truppenparade **Trooping the Colour** ab. Der Geburtstag der Queen ist zwar eigentlich der 21. April, aber an diesem Tag ist das Wetter für ein öffentliches Freiluftspektakel in der Regel zu schlecht. Die **Fahnen- und Bannerparade** wurde erstmals 1755 abgehalten und seither jedes Jahr zum Geburtstag des aktuellen Herrschers wiederholt.

> Horse Guards Road, U-Bahn Westminster

◁ *Westminster Abbey – Krönungskirche der englischen Monarchen*

19 St. James's Park ★★★ [M13]

St. James's Park ist **der älteste der königlichen Gärten** von London und mit „nur" 23 ha auch der kleinste. Die Anlage geht auf Henry VIII. zurück, der im 16. Jh. einen Sumpf zwischen dem St. James's Palace und Whitehall trockenlegen ließ. 1662 machte Charles II. ihn für die Öffentlichkeit zugänglich. Anfang des 19. Jh. wurde der Architekt James Nash beauftragt, den Park umzugestalten. Er wandelte die Entwässerungskanäle in einen langgestreckten See um und veränderte auch die Bepflanzung. Der See ist ein ideales Rückzugsgebiet für viele Vogelarten, die auf **Duck Island** einen geschützten Nistplatz finden. Dazu zählen Enten, Gänse, Flamingos, Schwäne und Pelikane. Das Restaurant Inn the Park (s. S. 28) sorgt für das leibliche Wohl der Besucher und im Sommer spielen in einem Musikpavillon wechselnde Orchester.

> U-Bahn Westminster, www.royalparks.gov.uk/tourists

20 Buckingham Palace ★★★ [L14]

Die Straße The Mall läuft geradewegs auf den Buckingham Palace zu, vor dem das schneeweiße **Victoria Memorial** aufragt. Königin Victoria, die als 18-Jährige den Thron bestieg und 64 Jahre lang (1837–1901) regierte, prägte den puritanischen Viktorianismus einer ganzen Epoche, der auf das Lebensgefühl der gesamten Nation ausstrahlen sollte. Das 27 m hohe Monument, das Sir Aston Webb 1910 schuf, wurde durch Spenden finanziert.

Der **Buckingham Palace** ist seit Victorias Zeiten die Residenz der britischen Monarchen. Wenn Elizabeth

II., die amtierende Queen, zu Hause ist, so weht die royale Standarte vom Dach des Palastes. Zu Beginn des 18. Jh. hatte der Duke of Buckingham ein hochherrschaftliches Gebäude errichten lassen, rund 70 Jahre später erwarb die Krone das Haus und George IV. beauftragte John Nash mit einer prachtvollen Umgestaltung. Wilhelm IV., entsetzt über die hohen Baukosten, ließ allerdings nur noch das Nötigste vollenden.

Vom Balkon des Ostflügels zeigt sich die königliche Familie bei offiziellen Anlässen und winkt heute vor allem der vor dem Zaun versammelten Touristenmenge zu. Die Zeremonie der Wachablösung **Changing the Guard** im Vorhof des Palastes findet meist um 11.30 Uhr statt (genaue Zeiten siehe Website).

Während der Sommermonate von Ende Juli/Anfang August bis Ende September dürfen auch Besucher in ausgewählte Räume der Residenz. Der Ticketverkauf findet am Besuchereingang in der Buckingham Palace Road statt. Man kann entweder die **State Rooms** besichtigen oder mit einem Kombiticket zusätzlich noch die Stallungen **Royal Mews** und die beeindruckende **Queen's Gallery.**

❭ 2013 geöffnet: 27.7.–31.8., tgl. 9.30–19, 1.–29.9. 9.30–18.30 Uhr. Eintrittskarten im Ticket Office am Besuchereingang in der Buckingham Palace Road, Ticketreservierung unter Tel. 77667300 oder www.royalcollection.org.uk, Eintritt: Erw. 19 £, erm. 17,50 £, Kinder 10,85 £, U-Bahn Charing Cross oder Green Park, genaue Termine der Wachablösung unter www.changing-the-guard.com.

▷ *Das British Museum* ㉑ *birgt Kunstschätze des Weltkulturerbes*

Bloomsbury und Marylebone

Bis zur Eröffnung des British Museum Mitte des 18. Jh. war Bloomsbury ein verschlafenes, kleines Dörfchen weit außerhalb der Stadtmauern mit Landhäusern betuchter Bürger. Ansonsten war die Gegend nur bei denjenigen beliebt, die in sicherer Entfernung zur Obrigkeit ihre Duelle ausfechten wollten. Heute ist es ein hübsches Wohnviertel mit grünen Plätzen und geprägt von georgianischer Architektur.

㉑ British Museum ★★★ [M11]

Von der U-Bahn-Station Tottenham Court Road erreicht man entlang der Great Russell Street nach wenigen Minuten eines der bedeutendsten Schatzhäuser der Welt: das British Museum. Begründet wurde das Museum von **Sir Hans Sloane.** Er litt an einer **Sammelleidenschaft** und raffte zusammen, was ihm unter die Finger kam: Fossilien, Mineralien, Pflanzen, zoologische, anatomische und pathologische Exponate, Kurioses ebenso wie Münzen, Bücher, Manuskripte, Zeichnungen, Drucke, Stiche und Antiquitäten. Als er im Jahre 1753 starb, hinterließ er eine Sammlung von rund 71.000 Stücken, die er der britischen Nation vermachte.

Am 15. Januar 1759 öffnete das **Ausstellungsgebäude** im ehemaligen Montagu House seine Pforten. Im 19. Jh. brachten weltreisende Naturwissenschaftler und Archäologen Funde und eroberte Objekte hinzu. Nicht wenige wurden aus den ehemaligen britischen Kolonien „entwendet". Umstritten sind besonders die **Elgin Marbles,** aus dem Parthenon in Athen entwendete Skulpturen,

die seit Jahren von den Griechen zurückgefordert werden. Heute beherbergt das Museum ca. 1,9 Mio. Ausstellungsstücke, die in **Wechselausstellungen** dem Publikum zugänglich gemacht werden. Die Exponate sind in die Regionen Amerika, Mittlerer Osten und Asien und die antiken Epochen Ägyptens, Griechenlands und Roms unterteilt. Während des **Zweiten Weltkriegs** sicherte man die unersetzlichen Schätze der Sammlung in den **Bergwerksstollen** von Wales vor feindlichen Luftangriffen, teilweise wurden die Kunstwerke auch in U-Bahn-Schächten gelagert.

Der britische Stararchitekt Sir Norman Foster zeichnete für die Umgestaltung des **Great Court** im Jahr 2000 verantwortlich. Dieser Innenhof des Museums, in dessen Mitte sich der berühmte **Reading Room** befindet, zeigt nun wieder die ursprünglichen ihn umgebenden Gebäudefassaden und ist mit einem gigantischen **Glasdach** bedeckt, aus dessen Mitte die Kuppel des Lesesaales herausragt. Der Great Court hat mit seinen

Cafés den Charme einer mediterranen Piazza, auf der man neue Energie für die weitere Besichtigung tanken kann. Der Reading Room ist für Besucher ständig zugänglich und beinhaltet ein Dokumentationszentrum mit 25.000 Nachschlagewerken. Die **British Library**, die einst im Reading Room untergebracht war, ist inzwischen in ein eigenes Gebäude in der Euston Road, nahe dem Bahnhof St. Pancras [M10], umgezogen.

❯ Great Russell Street, Tel. 73238920, www.britishmuseum.org, tgl. 10–17.30, Fr. bis 20.30 Uhr, Eintritt frei, U-Bahn Tottenham Court Road

Einfach mal verschnaufen
Wer sich im Museum die Füße wund gelaufen hat, findet in der **Museum Street** viele Cafétische zum Ausruhen. Das Ruskin's Café serviert gute Snacks und Getränke.

☉147 [M12] **Ruskin's Cafe**, 41B Museum Street, Tel. 74051450, geöffnet: Mo–So 8–18.30 Uhr

Sicilian Avenue

In den kleinen Gassen rund um das British Museum ㉑ finden sich viele **Verlagsbuchhandlungen, Antiquariate und Antiquitätengeschäfte.** Die Great Russell Street führt vom Museum zum Bloomsbury Square, der wie alle Plätze dieses Viertels von eleganten Stadthäusern im georgianischen Stil umgeben ist. Gegenüber dem Platz verläuft die kurze, elegante und schön anzusehende **Sicilian Avenue.** Wenn man hier im Sommer zwischen den kleinen Geschäften und den kachelverkleideten Häuserfronten einen Imbiss nimmt oder einen Kaffee trinkt, kommt eine mediterrane Atmosphäre auf.

㉒ University of London ★ [L10]

Im Rücken des British Museum befindet sich die Universität Londons. 1836 gegründet, ließ sie damals auch Nichtanglikaner studieren, die in Oxford und Cambridge nicht zugelassen waren. Zentrales Gebäude ist das große **Senate House.** Während des Zweiten Weltkriegs war hier das **Ministry of Information** untergebracht und **George Orwell** nahm in seinem Roman „1984" sowohl das Ministerium als auch das Gebäude zum Vorbild des sogenannten „Ministry of Truth". Heute haben hier die Universitätsverwaltung und die Bibliothek ihren Sitz.

Entlang der Gower Street reihen sich die renommierten Colleges und Schools aneinander, so etwa die **London School of Oriental and African Studies** oder die **London School of Economics**. Gegenüber dem Hospital befindet sich das älteste Gebäude der Hochschule, das **University College.** Hier ist die **Slade School of Fine Arts** beheimatet, außerdem kann man hier eine mehr als 80.000 Exponate zählende Sammlung von Kunstgegenständen aus pharaonischer Zeit besichtigen, die der große Ägyptologe Sir Flinders Petrie (1853–1942) zusammengetragen hat. In der Gower Street hat Waterstone's University Bookshop seinen Sitz, eine der größten Buchhandlungen Londons.

❯ **The UCL Petrie Museum of Egyptian Archeology,** University College London, Malet Place, Tel. 76792884, www.ucl.ac.uk/museum/petrie, Di–Sa 13–17 Uhr, U-Bahn Euston Square Station

㉓ Madame Tussaud's ★ [J11]

Das Viertel Marylebone liegt nördlich vom Oxford Circus und wird von der Tottenham Court Road, der Edgware Road und dem Regent's Park ㉔ begrenzt. Von Bloomsbury aus gelangt man über die Euston Road bis zum Regent's Park Crescent und der **Marylebone Road,** in der lange Besucherschlangen anzeigen, wo sich das Wachsfigurenmuseum befindet.

Die **Schweizerin Madame Tussaud** gründete 1770 ihre Figurenausstellung bedeutender Persönlichkeiten in Paris. Während der Französischen Revolution fertigte sie die Wachsmodelle berühmter Zeitgenossen direkt nach deren Hinrichtung an. 1802 siedelte Madame mit ihrer Sammlung nach England über und 1835 wurde das Kabinett in London neu eröffnet.

Heute werden die Abbilder mit **modernster Computertechnik** hergestellt. Neben Politikern aus allen Epochen kann der interessierte Besucher auch Film- und Fernsehstars, Fußballgrößen sowie die Idole der Musikszene bewundern. Auch ein Horrorkabinett fehlt natürlich nicht.

❯ Marylebone Road, Tel. 0871 8943000, www.madame-tussauds.com, Mo–Fr 9.30–17.30, Sa/So und während der Schulferien 9–19 Uhr, Eintritt: Erw. 33 £, Kinder 28,80 £ (wer im Voraus online bucht und und ab 17 Uhr kommt, zahlt nur 15 £ p. P.), U-Bahn Baker Street

㉔ Regent's Park ★★★ [K10]

Das 166 ha große Gelände des heutigen Regent's Park ließ Heinrich III. einst als **Jagdareal** anlegen. 1811 wurde er unter dem **Prinzregenten George IV**. von John Nash zu einem Park mit angrenzenden Villen umgestaltet. Der Park war Teil eines ambitionierten Bauprojekts von George IV., das sich von der Regent Street bis zum Regent's Park erstreckte. Umgeben ist er vom sogenannten *Outer Circle,* an dem John Nash terrassenförmig angelegte Häuserzeilen im Regency-Stil wie die **Cumberland Terrace** im Osten oder den halbmondförmigen **Marylebone Park Crescent** am Südeingang des Parks errichtete.

Im Park selbst hatte einst die Königliche Botanische Gesellschaft ihren Sitz. Heute gibt es außer ausgedehnten Grünflächen einen **künstlichen See mit Bootsverleih**, einen **Lehrgarten, Spiel- und Tennisplätze**, ein **Freilufttheater**, einen **Stein-** und einen **Rosengarten** sowie **Cafés**.
❯ U-Bahn Baker Street, www.royalparks.gov.uk/tourists

㉕ London Zoo ★★ [J9]

Größte Attraktion des Regent's Park ist der Zoo, der 1828 von Sir Stamford Raffles und Sir Humphrey Davy, Mitgliedern der Zoologischen Gesellschaft, zunächst zu Studienzwecken gegründet und 19 Jahre später für die Öffentlichkeit zugänglich gemacht

wurde. 1849 kam ein **Reptilienhaus** hinzu, 1853 ein **Aquarium** und 1881 ein **Insektenhaus**.

Im Zoo findet man über 2200 Tiere aus 755 verschiedenen Arten. Über 2 Mio. Besucher spazieren Jahr für Jahr durch dieses Freiluftgehege. Neu ist ein großes Gehege für stark gefährdete Sumatra-Tiger. Zoo und Regent's Park werden vom **Grand Union Canal** umflossen. Von Little Venice und Camden ㉛ aus werden Bootsfahrten über den Kanal und zum Zoo angeboten.
❯ Outer Circle, Regent's Park, Tel. 77223333, www.zsl.org/london-zoo, 1.3.–19.7. 10–17.30, 20.7.–8.9. 10–18 Uhr, Eintritt: Erw. 23,50/25 £, Kinder ab 3 Jahre 18/19 £, U-Bahn Baker Street oder Camden Town

⌃ *Das kunstvoll geschmiedete Cumberland Gate führt in den Regent's Park*

Von der London Bridge zum Tower

㉖ London Bridge ★★★ [Q13]

Neben der Tower Bridge ㉛ ist die London Bridge sicherlich die berühmteste Brücke der Stadt. Schon die Römer bauten an dieser Stelle eine Holzkonstruktion über den Fluss und bis 1176 bestanden auch alle nachfolgenden Themseüberspannungen aus Holz.

Nach 33-jähriger Bauzeit (1176–1209) wurde dann die **erste Steinbrücke Londons** fertiggestellt. Noch während der Arbeiten wurde die Brücke **mit Häusern bebaut** – die höchsten hatten bis zu sieben Stockwerke. Im 14. Jh. sollen annähernd 200 Gebäude auf der Themseüberspannung gestanden haben.

Am südlichen Brückentor, das mit einer Zugbrücke gesichert war, ließ die Obrigkeit zur Abschreckung die **Köpfe hingerichteter Verbrecher und Rebellen** aufgespießt zur Schau stellen. In der Tooley Street, die vom Südende der Brücke abzweigt, kann man sich im Museum **London Bridge Experience** (s. S. 36) eine Dokumentation über die eher unschöne Geschichte der Brücke anschauen und das Gruseln lernen.

Die **erste London Bridge** überspannte den Fluss mit 20 Bögen, hierdurch entwickelten sich **gefährliche Strömungen,** die Schiffer mussten sorgfältig manövrieren und mehr als ein Kahn zerschellte in den Jahrhunderten an den Steinquadern. 1758 bis 1762 nahm man daher Umbauten vor und 1831 wurde nach langer Bauzeit eine ganz neue Brücke feierlich eingeweiht. In den Jahren 1967 bis 1972 entstand dann die **dritte, heutige London Bridge.** Momentan wird der Bahnhof London Bridge umgebaut und unterirdisch erweitert. Drumherum wurde das neue Viertel **London Bridge Quarter** mit Apartments, Luxushotels und Geschäften aus dem Boden gestampft.

Weiter östlich erhebt sich aus dem Häusergewirr enger Straßen in

Hay's Galleria

Zwischen der London Bridge **26** und der HMS Belfast **27** lohnt die glasüberdachte Hay's Galleria einen Besuch. In den ehemaligen Magazinhallen locken **Pubs, Restaurants und Geschäfte.** Ein Brunnen in Form eines Seglers erinnert an die vergangenen Tage.

★148 [Q13] **Hay's Galleria,** Tooley Street, U-Bahn London Bridge Station

27 HMS Belfast ★★★ [Q13]

Von der Südseite der London Bridge gelangt man über die Tooley Street und durch die Hay's Galleria zum Ankerplatz der HMS Belfast. Dieser 1938 in Dienst gestellte letzte große **Kreuzer der Royal Navy** lief bei seinem ersten Einsatz auf eine Mine und wurde schwer beschädigt. Erst Ende 1942 waren die Reparaturarbeiten abgeschlossen. Das Kriegsschiff sicherte Geleitzüge und war mit an der Versenkung des deutschen Kreuzers Scharnhorst beteiligt. 1944 unterstützte die Belfast die Landung der Alliierten in der Normandie, nach dem Zweiten Weltkrieg versah sie ihren Dienst in Fernost. 1971 machte man den „Veteranenkreuzer" als **Museumsschiff** zugänglich.

> Morgan's Lane, Tooley Street, Tel. 0207 9406300, www.iwm.org.uk/visits/hms-belfast, März–Okt. tgl. 10–18 Uhr, Nov.–Febr. tgl. 10–17 Uhr, Eintritt: Erw. 14,50 £, erm. 11,60 £, Kinder bis 16 Jahre frei, U-Bahn London Bridge

Southwark und Bermondsey das mit 310 m bisher höchste Gebäude Londons. Bei dem 2012 fertiggestellten **The Shard** handelt es sich um einen konischen, sich nach oben verjüngenden Turm, der einer Glasscherbe ähnelt (daher der Name). Wenn man in Southwark und Bermondsey spazieren geht, eröffnet sich immer wieder ein überraschender Ausblick auf den Turm, bis man plötzlich vor dem Riesen steht. Durch den Neubau dieses Hochhauses und den Umbau des Bahnhofs hat sich dieser Teil des Themse-Südufers nachhaltig verändert.

> **Info:** http://www.discoverlondonbridge.co.uk, U-Bahn London Bridge
> **The View from the Shard,** 32 London Bridge St, Aussichtsplattform, Joiner St, Tel. 0844 4997111, www.theview fromtheshard.com, geöffnet: tgl. 9–22 Uhr (letzter Einlass 21 Uhr), Eintritt bei Vorausbuchung Erw. £24,95 (sonst £29,95), Kinder 4–15 Jahre £18,95 (£23,95)

◁ *Panoramablick von der Tower Bridge* **31** *auf die City Hall* **28***, The Shard und die HMS Belfast* **27**

Von der London Bridge zum Tower

㉘ London City Hall ★ [R13]

Nur ein paar Schritte weiter in Richtung Tower Bridge ㉛ fällt der Blick auf das moderne **Rathaus** der Stadt und den **Sitz des Bürgermeisters**, die City Hall. Der Gebäudekomplex wurde von Sir Norman Foster entworfen. Zwischen den Bauten setzte Foster als verbindendes Element ein modernes **Amphitheater** (The Scoop), auf dessen Stufen die Angestellten und Touristen ihre Mittagspause verbringen oder sich ausruhen. Unregelmäßig spielen hier zur Lunchzeit auch Musiker auf.

Die ungewöhnliche Knollenform der City Hall entwarf Foster, um die Oberfläche des Gebäudes zu reduzieren und damit eine **höhere Energieeffizienz** zu erreichen. Von sarkastischen Beobachtern wird das in der Sonne glitzernde Gebäude mit der dunklen Verglasung auch als „Darth Vader's Helmet" (Darth Vaders Helm) bezeichnet.

❭ The Queen's Walk, Tel. 79834000, www.london.gov.uk, Mo–Do 8.30– 18 Uhr, Fr bis 17.30 Uhr, Eintritt frei, U-Bahn London Bridge

㉙ Butler's Wharf ★★ [R13]

Auf der Ostseite der Tower Bridge ㉛ beginnt das **Viertel Shad Thames**, das aus restaurierten Warenhäusern der **ehemaligen Dockanlagen** besteht. Der Gebäudekomplex **Butler's Wharf** war einst der größte Warenspeicher an der Themse. Hier sind heute Geschäfte und Restaurants untergebracht. In der Mitte der kleinen **Tower Bridge Piazza** lädt ein Brunnen zum Verweilen ein. Von hier aus gelangt man zum **Brewery Square**. Die Uferpromenade, die vor der Werft bis zum St. Saviour's Dock verläuft, wo ein Kanal den Weg versperrt, bietet einen der schönsten Ausblicke auf die Tower Bridge und die dahinter gelegene City. Hier gibt es viele Restaurants mit Aussichtsterrasse.

❭ Butler's Wharf, U-Bahn Tower Hill

㉚ Design Museum ★★★ [R13]

Zu Zeiten von Charles Dickens war die **Gegend um die Docks** verrufen und hier lebten die Ärmsten der Armen. Heute sind die **restaurierten Lofts** in den renovierten Warenlagern von Shad Thames nur noch für sehr begüterte Londoner erschwinglich. Ein Loft mit Aussicht auf die Tower Bridge erhält man für die bescheidene Summe von 3 Mio. Pfund.

An der Restaurierung des maroden Viertels zu Beginn der 1990er-Jahre war maßgeblich der Designer **Terence Conran** beteiligt, der hier 1989 an der Straße Shad Thames sein **Design Museum** eröffnet hat. Er war einer der Vorreiter für die Eingliederung von modernem Design in das britische Alltagsleben. Das Museum gibt einen oft überraschenden Einblick in die rasante Entwicklung von Gegenständen des täglichen Lebens während der vergangenen Jahrzehnte. Das **Café** des Museums überblickt die Uferpromenade. Im Jahr 2014 zieht das Museum allerdings in einen Neubau nach Kensington um.

Unweit des Museums steht an der Themse die riesige **Skulptur „Inventioni"** („Erfindungen") von **Eduardo Paolozzi** (1924–2005), ein auf der Seite liegender Kopf, in dessen mechanisches Gehirn man blicken kann.

❭ 28 Shad Thames, Bermondsey, U-Bahn London Bridge, Tel. 74036933, www.designmuseum.org, geöffnet: tgl. 10–17.45 Uhr, Eintritt: Erw. 11,85 £, erm. 10,70 £, Kinder unter 12 Jahren frei

31 Tower Bridge ★★★ [R13]

Londons berühmteste Brücke wurde 1894 eingeweiht, für Entwurf und Bauleitung zeichneten Sir Wolfe John Barry und Sir Horace Jones verantwortlich. Die beiden **Zugbrücken** können – wenn es sein muss – innerhalb von nur 90 Sekunden geöffnet werden. Seit 1982 sind die Brückentürme sowie die technischen Anlagen im Fundament des Südturms **der Öffentlichkeit zugänglich**, auch der Verbindungssteg hoch über der Fahrbahn kann begangen werden und bietet eine atemberaubende Aussicht auf den Fluss und die Stadt. Während des **Zweiten Weltkriegs** und der Luftschlacht um England diente die Tower Bridge den nazideutschen Bomberpiloten als Orientierungspunkt für den Anflug auf die Stadt. Die Brücke wurde deshalb nie bombardiert.

> Tower Bridge Approach, U-Bahn Tower Hill, Tel. 74033761, www.towerbridge. org.uk, Tower Bridge Exhibition April–Sept. tgl. 10–18 Uhr, Okt.–März tgl. 9.30–17.30 Uhr, Eintritt: Erw. 8 £, ermäßigt 5,60 £, Kinder (5–15) 3,40 £

KLEINE PAUSE

Essen mit Ausblick

Wer den Weg bis zur Tower Bridge zurückgelegt hat, kann auf der Ostseite der Brücke in verschiedenen Restaurants mit Aussichtsterrasse einkehren. Die **Cantina del Ponte** serviert exzellente italienische Küche, dazu hat man einen atemberaubenden Blick auf die Brücke und die Docklands.

149 [R13] **Cantina del Ponte** ££, 36c Shad Thames, U-Bahn Tower Hill, East End, Tel. 74035403, www.cantinadelponte.co.uk, geöffnet: Lunch: Mo–Sa 12–15, Dinner: Mo–Sa 18–23, So 18–22 Uhr

Die imposante Tower Bridge überspannt die Themse

32 St. Katherine's Dock ★★ **[R13]**

Auf der anderen Flussseite, über die Tower Bridge **31** erreichbar, befindet sich St. Katherine's Dock, der **am weitesten stadteinwärts gelegene Hafenteil der alten Londoner Docklands.** St. Katherine's Dock war der erste Teilbereich der Kais, der renoviert wurde. Heute liegen in den Hafenbecken moderne Motor- und Segeljachten neben historischen Schiffen vor Anker. Regelmäßig öffnen sich die Schleusen und die Hebebrücke, um Seglern den Weg in die drei Hafenbecken freizugeben. Rundherum haben sich Restaurants angesiedelt. In der Mitte befindet sich der Pub **Dickens Inn** (s. S. 31), der von außen historisch anmutet, innen jedoch zum Gastropub umfunktioniert wurde. Von den Galerien des Fachwerkgasthofs hat man im Sommer einen guten Blick auf die Kais.

❯ U-Bahn Tower Hill

33 Tower of London ★★★ **[R13]**

Um den Tower von London, eine der meistbesuchten Touristenattraktionen Londons, ranken sich blutrünstige Geschichten und Legenden. 1078 entstand unter Wilhelm dem Eroberer der **White Tower** als Symbol der neuen normannischen Staatsmacht. Ende des 12. Jh. erweiterte Richard Löwenherz die Festung und Henry III. und Edward I. gaben dem Tower schließlich im Wesentlichen **seine heutige Gestalt.**

⌂ *Der White Tower, das älteste Gebäude des Tower of London*

Für die Besichtigung der Anlage sollte man mindestens zwei Stunden einplanen. Besonders interessant sind die Führungen mit einem der **Beefeater,** der berühmten Wachtruppe der Festung. Die Beefeater sind Armeeveteranen und als **Yeomen of the Guard** (königliche Leibgardisten) dem königlichen Personal zugehörig. In der Vergangenheit durften sie vom Büfett des Königs so viel Rindfleisch essen, wie sie wollten, woraus sich der Name Beefeater ableitet.

Man betritt die Festung durch den **Middle Tower,** ein Torhaus aus dem 14. Jh. Hinter einem breiten Graben folgt der äußere Mauerring mit mehreren Wachttürmen. Durch das „Verrätertor", das **Traitor's Gate,** brachte man früher die Gefangenen in die Festung.

Im **Queen's House,** einem von Heinrich VIII. für Anne Boleyn errichteten Fachwerkgebäude, ist heute die Amtswohnung des Kommandanten eingerichtet. Über **Waffen, Uniformen** und **Heraldik** kann man sich in den New Armouries, dem Zeughaus, dem Royal Fusiliers' Museum, den Waterloo Barracks und dem Heralds Museum informieren und sogar den Kriegspanzer eines Kampfelefanten betrachten.

Das **Jewel House,** Aufbewahrungsort der Kronjuwelen, ist eines der bestbewachten und -gesicherten Gebäude der Welt. Fast alle der hinter Panzerglas ausgestellten Exponate stammen aus der Zeit nach 1660, da Oliver Cromwell während des Bürgerkriegs die Preziosen verkaufen und die goldenen Schmuckstücke einschmelzen ließ. Von unschätzbarem Wert ist etwa die **St. Edward's Crown,** 1660 für Charles II. aus purem Gold gearbeitet. Die **Imperial State Crown,** 1837 für die Krönungsfeierlichkeiten von Königin Victoria geschaffen, soll mit 3000 Edelsteinen besetzt sein, darunter ein riesiger Rubin sowie der Diamant Star of Africa (der zweite, noch größere „Stern von Afrika" funkelt am königlichen Zepter), der 104 Karat aufweist. Königin Elizabeth trägt bei jeder Parlamentseröffnung **Victoria's Crown.** 1937 schufen Goldschmiede die **Queen Elizabeth's Crown** und setzten als „Blickfang" den legendären Koh-i-Noor, einen aus Indien stammenden Diamanten, in die königliche Kopfbedeckung. Pünktlich zum diamantenen Jubiläum der Queen im Jahr 2012 wurde die Juwelenausstellung ganz neu angeordnet. Nun erstrahlen die Schmuckstücke in neuem Glanz.

In der **Chapel of St. Peter ad Vincula** wurden viele der Hingerichteten zur letzten Ruhe gebettet, u. a. Thomas Morus, Anne Boleyn und Katharina Howard. Auf den Block des Tower Green legten die Verurteilten ihr Haupt, das der Henker dann mit einem Beilhieb (oder auch mehreren) vom Rumpf trennte.

Nahe beim Ticket-Kiosk für den Tower kann man noch die Kirche **All Hallows by the Tower** besichtigen, eine der **ältesten Kirchen Londons.** Der Sakralbau ruht auf Fundamenten aus angelsächsischer Zeit, ein Torbogen datiert aus der römischen Ära.

Pünktlich um 21.53 Uhr spielt sich jeden Abend die jahrhundertealte traditionelle **Schlüsselzeremonie (Ceremony of the Keys)** vor dem Bloody Tower ab, der man nach Voranmeldung beiwohnen kann (s. S. 13).

❭ The Tower of London, Tel. 0844 482777, www.hrp.org.uk, März–Okt. Di–Sa 9–17.30, So, Mo 10–17.30, Nov.–Febr. Di–Sa 9–16.30, So, Mo 10–16.30 Uhr, Eintritt: Erw. 21,45 £, erm. 18,15 £, Kinder 10,75 £, U-Bahn Tower Hill

South Bank und Southwark

Von der U-Bahn-Station Westminster gelangt man über die Westminster Bridge (vorbei an den Houses of Parliament ⑮) auf die Südseite der Themse, der Lebensader der Stadt. Die South Bank ist eines der lebhaftesten und gleichzeitig angenehmsten Viertel von London. Entlang der Fußgängerzone des Silver Jubilee Walkway, der 1977 anlässlich des silbernen Jubiläums der Queen angelegt und inzwischen erweitert wurde, kann man mehrere Stunden spazieren und sich unterwegs in hübschen Cafés und Pubs mit Themseblick ausruhen.

㉞ London Aquarium ★★ und London Film Museum ★★ [N14]

Am Südufer der Westminster Bridge erstreckt sich der lange Bau der ehemaligen County Hall. Hier sind drei Touristenattraktionen untergebracht: das **London Aquarium** – eines der größten Europas –, das interaktiv gestaltete **London Film Museum**, in dem man sich in Filmkulissen verlieren und Kostüme aus bekannten Filmen anschauen kann, und der **London Dungeon** (s. S. 37).

› **London Aquarium,** County Hall, Westminster Bridge Road, U-Bahn Westminster oder Waterloo, Tel. 0871 6631678, www.visitsealife.com/London, Mo–Do 10–18, Fr–So 10–19 Uhr, Eintritt: Erw. 23,70 £, Kinder 18 £, bei Onlinebuchung und Eintritt nach 15 Uhr Erw. 15,35 £, Kinder 11,25 £

› **London Film Museum,** County Hall, Riverside Building, www.londonfilm museum.com, Tel. 72027040, Mo–Fr 10–17, Do ab 11, Sa 10–18, So 11–18 Uhr, Eintritt: Erw. 13,50 £, erm. 11,50 £, Kinder 9,50 £

㉟ London Eye ★★★ [N14]

Die nächste Attraktion ist nicht zu übersehen: das **Riesenrad** London Eye. Mit einer Höhe von 135 m ist es **das größte Rad Europas** und an klaren Tagen soll der Blick über eine Strecke von 40 km schweifen können. Jede der 32 Kabinen fasst 25 Personen, die Rundreise dauert 30 Minuten. Das London Eye ist eine der meistbesuchten Attraktionen der Stadt und befördert ca. 35 Mio. Passagiere pro Jahr. Am besten bucht man diese Sehenswürdigkeit vorab telefonisch oder online, denn sonst muss man lange Schlange stehen.

› Riverside Building, County Hall, Westminster, Bridge Road, U-Bahn Westminster oder Waterloo, Tel. 0871 7813000, www.londoneye.com, Jan.–März 10–20.30, April–Juni 10–21, Juli–Aug. 10–21.30, Sept.–Dez. 10–20.30 Uhr, Eintritt: Standardticket 19,20 £, erm. 15,30 £, Kinder 4–15 Jahre 12,30 £. Wer ein teureres Flexi-Ticket kauft, kann die Wartezeit verkürze, Onlinetickets sind preiswerter.

㊱ South Bank Centre ★★★ [N13]

Das South-Bank-Kulturzentrum beherbergt verschiedene Theater und Galerien, die anlässlich des Festival of Britain im Jahr 1951 entstanden sind. Die Architektur der Betonbauten war lange ein Stein des Anstoßes. Im Herbst 2014 beginnt eine umfassende Neugestaltung. Die Einrichtungen bleiben dann für drei Jahre geschlossen.

Die **Royal Festival Hall** ist Heimat der Londoner Philharmoniker und bietet knapp 3000 Sitzplätze. In der

kleineren **Queen Elizabeth Hall** und im **Purcell Room** finden Konzerte unterschiedlichster Art statt. Ebenfalls hier untergebracht ist die **Poetry Library,** eine Referenzbibliothek für englische Poesie.

Das **National Theatre** (s. S. 35) hat drei verschiedene Bühnen zu bieten: Im **Olivier** kommen klassische Stücke zur Aufführung, im **Cottesloe** wird experimentiert und im **Lyttleton** können Besucher alte und neue Schauspiele verfolgen. Im Sommer gibt es kostenlose Open-Air-Aufführungen.

Die **Hayward Gallery** (s. S. 37) zeigt Wechselausstellungen und gehört zu den renommiertesten Galerien für moderne Kunst in London. Rund um die Veranstaltungsorte ist es immer belebt und es gibt zahlreiche **Cafés** und **Restaurants** mit Außenterrassen.

> **South Bank Centre,** Belvedere Road, U-Bahn Waterloo, Royal Festival Hall, Queen Elizabeth Hall, Purcell Room, Tel. 0844 8750073, www.southbankcentre. co.uk, National Theatre, Tel. 74523456, www.nationaltheatre.org.uk, Hayward Gallery, Mo 12–18, Di, Mi, So 10–18, Do, Fr, Sa 10–21 Uhr

37 BFI South Bank und BFI IMAX ★★ [N13]

Hinter dem South Bank Centre, nahe des Osteingangs des Waterloo-Bahnhofs, befindet sich das runde **BFI-IMAX-Kino.** Das **BFI South Bank** ist unterhalb der Waterloo Bridge beim National Theatre (s. S. 35) zu finden. In beiden Kinos kann man eine große Auswahl an Filmen ansehen.

Das **British Film Institute (BFI)** ist eine Einrichtung zur Förderung des britischen Films und führt unter anderem ein riesiges Film- und Fernseharchiv. Aus diesem werden in den beiden Kinos Retrospektiven gezeigt,

▵ Im höchsten Riesenrad Europas liegt dem Besucher London zu Füßen

aber auch Filmpremieren finden hier statt. Außerdem veranstaltet das BFI jedes Jahr im Oktober das internationale London Film Festival (s. S. 15). Vor dem BFI South Bank findet täglich bis 19 Uhr ein **Flohmarkt** mit Büchern, Postern, Kunstdrucken etc. statt.

> **British Film Institute,** www.bfi.org.uk, BFI South Bank, Belvedere Road, Tel. 020 79283232, tgl. 11–23, Fr/Sa bis 23.30 Uhr. BFI IMAX, Charlie Chaplin Walk, South Bank, Waterloo, Tel. 03303337878, www.odeon.co.uk, U-Bahn Waterloo

38 Gabriel's Wharf und Oxo Tower Wharf ★ [O13]

Spätestens an der **Gabriel's Wharf** sollte man in einem der vielen **Cafés** an der Promenade eine Rast einlegen und den Blick auf die Themse genießen. Der Gebäudekomplex mit der imitierten Häuserfassade ist zwar nicht historisch, in den Räumen und Arkaden sind aber **Kunsthandwerks- und Designläden** untergebracht und hin und wieder finden auf der Uferpromenade Ausstellungen statt. Man sollte hier ruhig eine Weile in den Läden stöbern und dann versuchen, einen der Cafétische zu ergattern.

Hinter dem Gelände ragt der **Oxo Tower** auf. Wie die Tate Modern 38 und die Battersea Power Station war auch dieser Turm einst **Teil einer Kraftwerksanlage.** In den 1930er-Jahren wurde er von der Firma Oxo übernommen, die Brühwürfel (Oxo Cube) und Soßenpulver herstellte. Heute befinden sich hier **Apartments, Designerläden** und im obersten Stockwerk ein schickes **Restaurant.**

> *Im Globe Theatre fühlt man sich in Shakespeares Zeiten zurückversetzt*

Eine **Aussichtsplattform** im achten Stock steht kostenlos für Besucher offen, man gelangt mit dem Lift von der Eingangshalle dorthin.

> **Gabriel's Wharf,** 56 Upper Ground, South Bank, U-Bahn Waterloo, www.coinstreet.org.
> **Oxo Tower,** Oxo Tower Wharf, Bargehouse Street, South Bank, Aussichtsplattform: tgl. 10–22 Uhr

39 Tate Modern ★★★ [P13]

Der beeindruckende Bau der ehemaligen Bankside Power Station, **einem Kraftwerk,** entstand im Jahr 1947 unter der Regie des Architekten George Gilbert Scott, der auch die Battersea Power Station entwarf. Da die Kunstbestände der Tate Gallery in Millbank (Tate Britain 78) den Rahmen des dortigen Museums sprengten, begann man im Mai 2000 mit dem Umbau des Kraftwerks an der South Bank in die **Tate Gallery of Modern Art** (Tate Modern).

Der gesamte Kraftwerksbau wurde entkernt und auf fünf Etagen ist nun ein Großteil der Bestände **zeitgenössischer Kunst** aus der Tate-Sammlung zu sehen. Die ehemalige 100 m lange und 30 m hohe **Turbinenhalle** dient zur Ausstellung besonders großer Werke. Der riesige Saal dient den Besuchern als zentrale Piazza. Über **Rolltreppen** erreicht man die verschiedenen Ausstellungsebenen, in denen die Werke **nach Kunststilen geordnet** sind: von Impressionismus über Dadaismus, Surrealismus und Pop-Art bis zur Konzeptkunst. Zwischen der Tate Modern und der Tate Britain gibt es während der Öffnungszeiten alle 40 Minuten einen **Shuttle-Fährservice** zum jeweils anderen Museum (Tate Boat). Die Boote halten auf der Tour auch am Riesenrad London Eye 35.

Vom Nordeingang der Galerie eröffnet die spektakuläre Hängebrücke **Millennium Bridge** aus dem Architekturbüro von Sir Norman Foster einen Blick auf St. Paul's Cathedral **55**, deren Kuppel man am gegenüberliegenden Ufer aufragen sieht.

> Bankside, U-Bahn Southwark,
> Tel. 78878888, www.tate.org.uk,
> So–Do 10–18 Uhr, Fr/Sa 10–22 Uhr,
> Eintritt frei

40 Globe Theatre ★★★ [P13]

Unweit der Tate Modern **39** befindet sich das geschichtsträchtige Globe Theatre, das 1998 hier **originalgetreu wiederaufgebaut** wurde.

Nachdem zur **Tudorzeit** den Freiluftspielstätten im East End, die Vorläufer der ersten Theater waren, die Lizenz entzogen worden war, verlegten die Theaterleute – unter ihnen William Shakespeare, Christopher Marlowe und James Burbage – ihre Aktivitäten kurzerhand auf die Südseite der Themse nach **Southwark**. Die Gegend unterstand dem **Bischof von Winchester**, der sich an der Ge-

Britische Tapas

Zum Komplex des Globe Theatre gehört der Gastropub The Swan mit Aussichtsterrasse. Hier gibt es ganztags „britische Tapas", d. h. Suppen, Salate, Nudelgerichte und sogar Austern. Angeschlossen ist ein schickeres Restaurant, bei dem man allerdings vorher buchen muss.

150 [P13] **The Swan at Shakespeare's Globe,** 21 New Globe Walk, Bankside, Tel. 79289444, www.loveswan.co.uk, geöffnet: Bar/Pub Mo–Mi 7.30–23.30, Do 7.30–24, Fr 7.30–0.30, Sa 11–0.30, So 11–22.30 Uhr

werbesteuer der Marketender, der Lebedamen und der Gastronomie bereicherte und daher einen freizügigeren Umgang mit dem Unterhaltungswesen pflegte.

Die Theater der frühen Jahre – neben dem Globe auch The Theatre, The Swan, The Curtain Theatre und The Rose – hatten ein **offenes Auditorium** und die meisten Gäste muss-

William Shakespeare – Leben und Werk

William Shakespeare wird am 26. April 1564 in der Pfarrkirche zu Stratford getauft (das genaue Geburtsdatum ist unbekannt, angegeben wird meist der 23. April, da der Dramatiker 52 Jahre später, am 23. April 1616, verstarb, sodass Geburts- und Todestag auf das gleiche Datum fallen). Stratford verfügte über eine sehr gute „Grammar School", die Lehrer galten als hoch qualifiziert. Dass Shakespeare hier Schüler war, ist zwar nicht dokumentiert, aufgrund seiner Bildung und der Zitate in seinen Stücken, die teilweise aus Schulbüchern der damaligen Zeit stammen, ist es aber doch sehr wahrscheinlich, dass er diese Schule besuchte.

Die nächste aktenkundige Eintragung bezieht sich auf Shakespeares **Hochzeit.** Im Alter von 18 Jahren heiratet er die acht Jahre ältere Anne Hathaway. Die Formalien für die Eheschließung waren mit großer Eile vorangetrieben worden, denn Anne war schwanger. Am 26. Mai 1583 wird die Tochter Susanna geboren, zwei Jahre später, am 2. Februar 1585, die Zwillinge Hamnet und Judith: Der Knabe stirbt mit elf Jahren, die beiden Mädchen überleben die Kindheit.

Von 1585 bis 1592 gibt es in Shakespeares Biografie erneut eine Lücke, keinerlei Aufzeichnungen verraten etwas über das private oder berufliche Leben. 1592 tritt er in London als namhafter **Autor** wieder in das Licht der Geschichte.

1599 bietet die Familie Burbage dem Dramatiker eine **Teilhaberschaft** am Globe Theatre an und Shakespeare wird „Sharer" mit einem Anteil von 10 Prozent; 1608 beteiligt er sich mit einem Siebtel am Blackfriars Theatre.

Am 4. Mai 1597 erwirbt in seiner Geburtsstadt Stratford **New Place,** eines der größten Häuser des Ortes, am 1. Mai 1602 kauft er 43 ha Ackerland und am 28. September ein weiteres Haus gegenüber von New Place. Er verpachtet seinen Boden und spekuliert mit den Einnahmen.

Mittlerweile ist er in der Hauptstadt ein derart berühmter Mann geworden, dass schon zu seinen Lebzeiten die Anekdotenbildung einsetzt. Obgleich nun mit viel Anerkennung bedacht, unternimmt Shakespeare keinerlei Anstrengungen, sein Werk einer breiten Öffentlichkeit zugänglich zu machen. Eine erste größere **Gesamtausgabe** erschien erst **1623,** sieben Jahre nach seinem Tod.

Um das Jahr 1611 soll sich Shakespeare vom Theaterleben in London zurückgezogen haben und nach Stratford übergesiedelt sein. Am 23. April 1616 stirbt er - wie die Legende behauptet, nach einem schweren Saufgelage mit Ben Jonson.

ten stehen. Bei Regen wurde die Vorstellung abgebrochen. Die Sitzbänke auf den Rängen waren hart und die Balkone zugig, die Bühne strohbedeckt. Dies konnte das Vergnügen an der Vorstellung jedoch nicht trüben, die lautstark kommentiert wurde.

Im wiedererstandenen Globe Theatre kann man sich in das Theatererlebnis der Tudorzeit einfühlen. Wenn keine **Aufführungen** stattfinden, kann das Theater auf einer **geführten Tour** besichtigt werden, die auch einen Einblick hinter die Kulissen gestattet.

> 21 New Globe Walk, Bankside, U-Bahn London Bridge, Kartenverkauf: Tel. 74019919, www.shakespearesglobe. com, Mo–So 9–17.30 Uhr, Führungen ab 9.30 Uhr (Di–Sa bis 12.30, So bis 11.30, Mo bis 17 Uhr), Eintritt: Erw. 13,50 £, Kinder (5–15 Jahre) 8 £

41 Clink Prison Museum ★ [P13]

Weiter den Uferweg entlang, gelangt man auf der Ostseite der Southwark Bridge zum historischen **Anchor Pub** (s. S. 31). Bereits ab dem 15. Jh. gab es an dieser Stelle einen *Inn.* Der Chronist **Samuel Pepys** beobachtete von hier das Große Feuer von London im Jahr 1666 und **Dr. Samuel Johnson** (s. S. 86) trank und schrieb hier.

Der Clink Street folgend gelangt man zu einem **berüchtigten Gefängnis,** das vom 12. bis 18. Jh. in Betrieb war. Es befand sich gleich neben dem Palast des **Bischofs von Winchester,** der das Laster gleichzeitig förderte und bestrafte und sich so zweimal an Gebühren bereicherte. In den **unterirdischen Verliesen** des Gefängnisses waren die Inhaftierten vom Grundwasser der nahe gelegenen Themse sowie von den Abwässern der hier endenden Kanalisation bedroht. Die Zellen waren so berüchtigt, dass der Name in die englische Umgangssprache einging: „Clink" bedeutete Knast.

Die heutige **Clink Exhibition** versucht, anhand von eher zweifelhaften Horrordarstellungen die Schrecken zu verdeutlichen, denen die damaligen Insassen ausgesetzt waren. Diese „Fakten" sollte man aber nicht unbedingt für bare Münze nehmen.

> Clink Street, U-Bahn London Bridge, Tel. 74030900, www.clink.co.uk, Juli–Sept. tgl. 10–21, Okt.–Juni Mo–Fr 10–18, Sa/So 10–19.30 Uhr, Eintritt: Erw. 7,50 £, Kinder/erm. 5,50 £

42 Winchester Palace ★ [P13]

Vom Clink Prison gelangt man über die Gasse Stoney Street und die Winchester Cathedral Street zu den Überresten des **Palastes des Bischofs von Winchester.** Nur eine hohe Wand mit einer Fensterrosette im Giebel ist erhalten geblieben. Von hier aus regierte der Bischof das lasterhafte Viertel.

> Clink Street, U-Bahn London Bridge. Der Besuch der Ruine ist kostenfrei.

43 Golden Hinde ★ [Q13]

Nördlich vom Winchester Palace, wieder in Richtung Ufer, liegt im St. Mary Overie Dock der Segler Golden Hinde. Der **Dreimaster** ist ein **originalgetreuer Nachbau** des gleichnamigen Schiffes, mit dem **Francis Drake** von 1577 bis 1580 die Welt umsegelte. Queen Elizabeth I. hatte Drake ihre königliche Charter (d. h. den Freibrief) gegeben und ihn damit indirekt berechtigt, Schiffe von Feinden Britanniens – damals vor allem Spanien – anzugreifen. Drake enterte viele Schiffe und brachte die dort geplünderten Waren als Beute mit nach Hause. Von Elizabeth I. wurde er hierfür **geadelt** und durfte seinem Namen den Titel „Sir" voranstellen. Die Spanier waren hiervon weniger beeindruckt, sie bezeichneten ihn als Piraten.

Die heutige **Kopie des Schiffes** lief 1973 vom Stapel und ist vollkommen **seetüchtig.** Die Golden Hinde ist 37 m lang, der Hauptmast hat eine Höhe von 27 m und die Segelfläche umfasst 386 m². Die maximale Geschwindigkeit beträgt 8 Knoten oder 14 km/h. Seit seiner Renovierung hat das Schiff den Globus erneut umrundet und diente als Kulisse für viele historische Filme. Heute kann das Schiff besichtigt werden und es gibt viele Veranstaltungen für Kinder wie z. B. Piratenpartys. Familien können sogar über Nacht bleiben und auf diese Weise einen Eindruck vom echten „Piratenleben" gewinnen.

> St. Mary Overie Dock, Cathedral Street, Tel. 74030123, www.goldenhinde.com, tgl. 10–17.30 Uhr, Eintritt: Erw. 7 £, Kinder 5 £, Familienticket für 4 Pers. 20 £, U-Bahn London Bridge

44 Southwark Cathedral ★★★ [Q13]

Den ersten Hinweis auf eine Kirche in Southwark gibt es im „**Domesday Book**" der Normannen aus dem Jahr 1086. 1106 begannen normannische Ritter mit dem Bau einer **Steinkirche**, die zum Sitz für Augustinermönche wurde. Anfang des 13. Jh. zerstörte ein Feuer das Gotteshaus, das nun, teilweise unter Verwendung der alten Quader, in **gotischer Bauweise** neu errichtet wurde.

Unter König Heinrich VIII. wurde die Kirche ab 1536 in **St. Saviour** umbenannt. Sie fristete lange ein eher unspektakuläres Dasein und diente dem hier ansässigen bunten Einwohnergemisch als Gemeindekirche. Ende des 19. Jh. musste das verfallene Gotteshaus renoviert werden. Heute präsentiert sich die Kathedrale mit ihrem mächtigen Vierungsturm neben der Westminster Abbey 16 als eine der wenigen verbliebenen gotischen Kirchen Londons.

Im **Inneren** sind vor allem die vielen **Grabdenkmäler** von Interesse. Im nördlichen Seitenschiff ruht der Dichter **John Gower**, Zeitgenosse und Freund von Geoffrey Chaucer sowie Hofpoet von Richard II. und Heinrich IV. Der Kopf der Grabfigur ruht auf den drei bekanntesten Werken des Autors. Im südlichen Seitenschiff erinnert das 1911 eingeweihte **Shakespeare Monument** an die Verbundenheit des Dichters mit Southwark. Begraben ist hier allerdings nur sein Bruder Edmund (wenngleich man nicht weiß, an welcher Stelle). Die Alabasterfigur des großen Literaten liegt lang ausgestreckt auf der Seite, dahinter erkennt man in einem Relief die Southwark-Kulisse vom Globe bis zur Kathedrale, wie sie sich in der elisabethanischen Ära wohl dem Betrachter dargeboten hat.

> Montague Close, U-Bahn London Bridge, Tel. 73676700, http://cathedral.southwark.anglican.org, tgl. 8–18 (Sa/So ab 8.30) Uhr

---

KLEINE PAUSE

Fisch essen in Southwark
Direkt neben der Kathedrale lohnt das gute Fischrestaurant **Fish!** (s. S. 26) zur Lunch- und Dinnerzeit einen Besuch.

㊺ Borough Market ★★★ [Q13]

Gleich südlich der Southwark Cathedral ㊹ befinden sich die **historischen Markthallen** des Borough Market. Dieser **Lebensmittelmarkt** ist einer der ältesten Londons und geht auf das 13. Jh. zurück. Bis um 1750 fanden Handel und Verkauf entlang der Borough High Street statt, dann verlegte man die Verkaufsstände neben die Kathedrale. Der Markt siedelte sich schon früh vor der London Bridge ㉖ an, da die meisten Bauern und Händler, die von Süden in die Stadt kamen, aufgrund ständiger Verkehrsstaus gar nicht erst über die Brücke gelangten. Heute steht der Markt mit **hochwertigen Bioprodukten** von Obst bis Wildgeflügel vor allem auf der Einkaufsliste der nahegelegenen Gourmetrestaurants.

❯ 8 Southwark Street, U-Bahn London Bridge, www.boroughmarket.org.uk, Do 11–17, Fr 12–18, Sa 8–17 Uhr

㊻ George Inn und Borough High Street ★★ [Q13]

Von der Borough High Street zweigen hinter der St. Thomas Street auf der linken Straßenseite eine Reihe kleiner Gassen ab, die zu **Hinterhöfen**, sogenannten **Yards,** führen. Hier befanden sich einst die Gasthöfe und Tavernen für das fahrende Volk. Die Haupteinfallstraßen führten damals von Süden nach London und es bestand ein stetiger Kutschenverkehr.

Bereits zu Chaucers Zeiten waren die Ausschankstellen für Ale die Attraktion der Gegend. Heutzutage erinnern nur noch die **Hofnamen** an die einstigen Tavernen, die durch Feuer, Stadtplanung und den Bombenangriff der Deutschen im Zweiten Weltkrieg weitgehend zerstört wurden.

Der **George Inn Yard** ist der einzige noch in London erhaltene Postkutschengasthof mit Galerien. Der gut renovierte alte Gasthof vermittelt eine Vorstellung von den *Inns* der damaligen Zeit: Im Erdgeschoss befand sich der Schankraum, die mit Galerien versehenen oberen Stockwerke beherbergten die Gästezimmer. Das Gebäude datiert vom Ende des 17. Jh. 1676 war der Vorgängerbau ein Raub der Flammen geworden.

Im George Inn Yard wurden – wie auch in anderen Gasthöfen – Theaterstücke aufgeführt. Diese frühen **Pub-Theater** waren die Vorläufer der späteren Freilufttheater wie dem The Globe ㊵. Die Zuschauer fanden auf den Galerien Platz und sahen den Gauklern und Schauspielern im Hof zu. Die übereinander gestaffelten, umlaufenden Balkone der *Inns* dienten als Vorbild für die Theaterränge in den späteren Theatergebäuden.

Im **Mermaid Court** (161 Borough High Street) stand vom 14. Jh. bis zum Beginn des 19. Jh. das berüchtigte **Marshalsea-Schuldnergefängnis. Ben Jonson** (1573–1637), Zeitgenosse Shakespeares, saß hier ein. Shakespeare hielt das Marshalsea literarisch in dem Stück „Heinrich VIII." fest. Auch in zahlreichen Romanen von **Charles Dickens** spielt das Gefängnis eine Rolle. Er schöpfte aus eigener Erfahrung, denn sein Vater saß hier ein, weshalb Charles bereits im Alter von 10 Jahren für den Lebensunterhalt der Familie sorgen musste.

❯ **The George Inn,** 77 Borough High Street, U-Bahn London Bridge Station, Tel. 74072056, www.nationaltrust.org.uk/george-inn, tgl. 11–23 Uhr

◁ *Der mächtige Turm der Southwark Cathedral*

City of London – das Businessviertel

Ein Spaziergang durch die City of London führt zu den Ursprüngen der Metropole: Hier begann die Geschichte der Stadt. Heute gehören das Bankenzentrum und der Geldhandelsmarkt der City neben den Börsen von New York, Tokio und Frankfurt zu den einflussreichsten der Welt.

Mit nur 2,6 km² Ausdehnung ist die City der **kleinste Bezirk der Metropole.** Nur etwa 9000 Menschen wohnen, 300.000 arbeiten dagegen hier. In den 1990er-Jahren verlagerte sich ein Teil des Geschäftslebens in die Bürotürme der **Canary Wharf 85** in den Docklands.

Doch heute werden wieder **große Bauprojekte** verwirklicht: Die neuen Hochhausriesen dienen allerdings nicht nur als Büros, sondern beherbergen auch Luxusapartments, Restaurants und Aussichtsplattformen, die für die Öffentlichkeit zugänglich gemacht werden

47 The Monument ★★★ [Q12]

Die U-Bahn-Station Monument führt zu der Gedenksäule, die an das Große Feuer von London (**Great Fire of London**) im Jahr 1666 erinnert. Ca. 60 m westlich vom heutigen Standort der **Säule** war im Jahr 1666 die Feuersbrunst in einer Bäckerei in der Pudding Lane ausgebrochen und hatte fast den gesamten mittelalterlichen Stadtkern in Schutt und Asche gelegt. 1671 bis 1677 errichteten Handwerker unter der Bauleitung von **Christopher Wren** und **Robert Hooke** die 62 m hohe, im dorischen Stil gehaltene Säule, auf deren Spitze eine Urne steht, aus der Flammen schlagen. Eine Wendeltreppe mit 311 Stufen führt auf die **Plattform,** von der

aus man immer noch einen weiten Blick über die Stadt hat. The Monument ist übrigens die höchste frei stehende Steinsäule der Welt.

❯ Monument Street, U-Bahn Monument, Tel. 76262717, www.themonument. info, tgl. 9.30–17.30 Uhr, Eintritt: Erw. 3 £, erm. 2 £, Kinder 1,50 £

48 Bank of England ★★ [Q12]

Vom Monument erreicht man auf der King William Street in nördlicher Richtung nach wenigen Minuten den **City-Knotenpunkt Bank**, auf dem acht Straßen sternförmig zusammenlaufen. Vorbei am **Mansion House,** in dem der Lord Mayor seinen Sitz hat, trifft man an der Ecke Threadneedle Street/Bank die **Bank of England,** auch „The Old Lady of Threadneedle Street" genannt. Sie wurde 1694 von König William III. gegründet, da man Gelder für den Frankreichkrieg benötigte. Das heutige Gebäude stammt weitgehend aus den Jahren 1925 bis 1939. Seit 1946 verstaatlicht, setzt die Bank heute die Menge des Geldumlaufes fest, beaufsichtigt die Notendruckerei und verwaltet die Goldreserven des Landes.

In der Bartholomew Lane liegt der Eingang zum **Bank of England Museum,** das über die Geschichte der Institution informiert. Zu sehen sind antike Münzen, Banknoten aller Couleur, alte Rechnungen, Prägestöcke, künstlerische Entwürfe für Geldscheine und vieles mehr.

❯ Threadneedle Street, Eingang zum Bank of England Museum in der Bartholomew Lane, Tel. 76015545, www.bankofengland.co.uk/museum, Mo–Fr 10–17 Uhr, Eintritt frei, U-Bahn Bank

Cheesegrater, Gherkin & Co.

Über die Threadneedle Street nach Osten gelangt man zum Zentrum momentan **umstrittener Bauaktivitäten** *in der City. Hier entsteht ein Hochhauswald, der viele kritische Stimmen auf den Plan ruft.*

An der Kreuzung zur Straße Bishopsgate ist der Bau des **The Pinnacle,** *auch* **Helter Skelter** *(„Rutschbahn", 288 m) genannt, aufgrund von Finanzierungsproblemen ins Stocken geraten. Etwas weiter südlich wird in der Leadenhall Street am sogenannten* **Cheesegrater** *(„Käsereibe", 225 m) gebaut. Auf der Bishopsgate weiter nördlich erreicht man den* **Heron Tower** *(230 m), der im 39. Stock eine verglaste Bar (Sushisamba, s. S. 29) zu bieten hat. Südlich vom Heron Tower ragt in der Straße St. Mary Axe die 180 m hohe* **The Gherkin** *(„Gewürzgurke", s. Foto) in den Himmel. Sie stammt von dem Stararchitekten Sir Norman Foster. Dank der vollverglasten Fassade haben alle Räume genügend Tageslicht und die Fenster lassen sich öffnen. Im 36. Stock gibt es eine Wetterstation, die täglich berechnet, ob die natürliche Belüftung ausreicht. So lassen sich pro Jahr Energiekosten von bis zu 50 % sparen.*

130ln Abb.: sh

★**151** *[Q12]* **Helter Skelter,**
  22-24 Bishopsgate
★**152** *[Q12]* **Cheesegrater,**
  122 Leadenhall Street
★**153** *[Q11]* **Heron Tower,**
  110 Bishopsgate
★**154** *[Q12]* **The Gherkin,**
  30 St. Mary Axe

49 Royal Exchange ★ [Q12]

Gegenüber der Bank of England befindet sich die Royal Exchange, **die Königliche Börse.** Die Institution wurde im Jahre 1566 vom Händler und Finanzexperten **Thomas Gresham** nach dem Vorbild der Antwerpener Börse gegründet. Das erste Gebäude ging 1666 beim Großen Feuer von London in Flammen auf, der Nachfolgebau brannte 1838 nieder. Sechs Jahre später wurde das heutige Gebäude von **Sir William Tite** errichtet. In dem schönen Innenhof gibt es heute einige schicke Shops und nette Cafés, die in der Mittagspause von den Bankern bevölkert werden.

In südöstlicher Richtung verläuft die **Lombard Street,** ab dem 12. Jh., als sich italienische Geldverleiher aus der Lombardei hier niederließen, die Bankenmeile der Stadt. Noch heute haben viele große, weltweit operie-

KLEINE PAUSE

Kaffeetrinken mit Flair

Das klassizistische Atrium der Royal Exchange wird heute von Cafétischen eingenommen. Im **Grand Café Royal Exchange** (s. S. 28) erhält man von 12 bis 15 Uhr Kaffee und Snacks in schöner Atmosphäre. Wer im Restaurant speisen will, sollte vorher reservieren.

rende Geldinstitute ihre Niederlassung in dieser Straße. Das moderne Zentrum der Finanzinstitutionen hat sich allerdings etwas weiter nach Osten in die Gracechurch und die Bishopsgate Street verlagert.

❯ Royal Exchange, Threadneedle Street, U-Bahn Bank

50 Lloyd's Building ★★★ [Q12]

In der Leadenhall Street residiert die weltberühmte **Versicherung Lloyd's of London.** Edward Lloyd gründete sie im 17. Jh. Sein Kaffeehaus, gut besucht von Kapitänen, Schiffsmaklern, Kaufleuten und Reedern, entwickelte sich zu einer Nachrichtenbörse und die versammelte Kundschaft begann, gemeinsam Schiffe und Frachtladungen zu versichern. Wenn sich keine Katastrophen ereigneten, war der Gewinn der Anteilseigner hoch, ging ein Schiff unter, mussten die Mitglieder der Gruppe, die die Versicherungsanteile gegengezeichnet hatten, zahlen.

Das **Lloyd's Building** aus dem Jahr 1986 stammt vom Architekten Richard Rogers. Wie beim Centre Pompidou in Paris verlegte Rogers die Versorgungseinrichtungen an die Außenwand des Gebäudes, wodurch ein **futuristischer Eindruck** entsteht. In dem 14 Stockwerke und 76 m hohen Innenraum hängt unter einem

Baldachin die berühmte **Glocke** der 1799 mit einer Silberladung gesunkenen **Fregatte Lutine.** Bei schlechten Nachrichten läutete man die Glocke früher einmal, bei guten zweimal. Auch das Kontorbuch, in das jedes bei Lloyd's versicherte, gesunkene Schiff eingetragen wird, befindet sich in der zentralen **Atriumhalle.**

❯ Leadenhall Street, U-Bahn Bank. Das Gebäude kann nur am Tag der Offenen Tür (Open House London, s. S. 14) besichtigt werden.

51 Leadenhall Market ★ [Q12]

Unweit des Lloyd's Building öffnet sich eine Passage, die zum Leadenhall Market führt. Die atmosphärereichen **viktorianischen Hallen** des Architekten Horace Jones bieten nicht nur Obst- und Gemüsestände, Fisch-, Fleisch- und Weinhändler, sondern auch ein Restaurant, in dem mittags die Angestellten der umliegenden Büros ihren Lunch einnehmen. In der Nachbarschaft ragen rund um die Straße Bishopsgate die neuen **Hochhausriesen** der City auf (s. S. 81).

❯ 1a Leadenhall Market, Gracechurch Street, www.cityoflondon.gov.uk, Mo–Fr 10–17 Uhr, U-Bahn Bank

52 Guildhall Art Gallery und Roman Amphitheatre ★ [P12]

Von der Bishopsgate Street zweigt die Straße London Wall ab, die dem Lauf der einstigen Stadtmauer folgt. Südlich von hier, an der Gresham Street, steht das **Rathaus der City of London,** die **Guildhall.** Von dem ursprünglichen, im Jahre 1411 errichteten Gebäude sind nur noch das Hauptportal, die Große Halle sowie die Krypta erhalten – auch die Guildhall stand beim Feuer von 1666 in hellen Flammen. Die An- und Umbauten aus den folgenden Jahrhunderten zerbombten im Dezember 1940 deutsche Flugzeuge.

Heutzutage können Besucher nur noch das angegliederte **Museum** der Guildhall besichtigen. Bei Ausgrabungen stieß man hier auf **römische Mauern**. Die **Überreste eines Amphitheaters** geben Aufschluss über das Leben in London zur Römerzeit. Die **Kunstausstellung** beeinhaltet zahlreiche Gemälde aus verschiedenen Epochen von 1670 bis heute, darunter viele historische Bilder der Stadt. Zudem finden Wechselausstellungen statt.
> Tel. 73323803, www.guildhallartgallery. cityoflondon.gov.uk/gag/, Mo–Sa 10–17, So 12–16 Uhr. Der Eintritt in die Kunstausstellung und zum römischen Amphitheater sind frei.

53 Barbican Centre ★★ [P11]

Nördlich der Guildhall erstreckt sich der Komplex des Barbican Centre. Das **Kulturzentrum** mit der angrenzenden Wohnanlage wurde bereits in den 1960er-Jahren im sogenannten „brutalistischen" Stil entworfen, jedoch erst 1982 nach 10-jähriger Bauzeit eröffnet. Die Anlage beherbergt in drei 123 m hohen Türmen Wohnungen für 4000 Menschen, aber auch Grünanlagen und einen künstlichen See.

Das Kulturzentrum ist das größte seiner Art in Europa und hat dem Besucher viel zu bieten: Die Barbican Hall fasst 1949 Personen, hier hat das **London Symphony Orchestra** seinen Sitz. Das Barbican Theatre mit 1166 Plätzen war bis zum Jahr 2000 Heimat der Royal Shakespeare Company und ein kleines Studiotheater bringt Experimentelles auf die Bühne und bietet Sitzplätze für 286 Personen. In einer

Kunstgalerie gibt es wechselnde Ausstellungen zu besichtigen, eine Vielzahl an Seminarräumen, ein Kino, zwei weitere Ausstellungshallen, viele Cafés und Restaurants runden die kulturelle Angebotspalette ab.

2012 feiert das Barbican mit vielen Sonderveranstaltungen sein **25-jähriges Jubiläum.**
> Silk Street, U-Bahn Barbican oder Moorgate, Kartenverkauf: Tel. 76388891, Mo–Sa 10–20, So 11–20 Uhr, www. barbican.org.uk, Barbican Art Gallery Mo/Di/Fr–So 11–20, Mi 11–18, Do 11–22 Uhr
> Der Informationsschalter befindet sich am Eingang der Silk Street (Level 5).

54 Museum of London ★★★ [P11]

Südlich vom Barbican Centre sollte man das Museum of London auf keinen Fall verpassen, in dem auf mehreren Stockwerken die **Londoner Geschichte** von der Römerzeit bis in die Gegenwart ausführlich dokumentiert wird. Ein Stück der alten **Stadtmauer** ist hier ebenfalls noch erhalten geblieben und wurde in die Museumsanlage integriert. Für eine Verschnaufpause nach der Besichtigung stehen ein Café und ein Restaurant zur Verfügung.
> 150 London Wall, Tel. 70019844, www.museumoflondon.org.uk, U-Bahn Barbican oder St. Paul's, Mo–So 10–18 Uhr, Eintritt frei

55 St. Paul's Cathedral ★★★ [P12]

Vom Museum of London gelangt man über die Verlängerung der Aldersgate Street nach Süden zur St. Paul's Cathedral. Sie war das Meisterwerk des Architekten **Sir Christopher Wren,** der

finden hier viele offizielle Veranstaltungen statt, so z. B. im Juni 2012 der Gottesdienst anlässlich des 60. Thronjubiläums der Queen.

Bereits im Jahre 604 wurde von Mellitus, dem ersten angelsächsischen Bischof von London, eine erste Kirche errichtet. 1175 konnte der 1087 durch die Normannen begonnene Neubau fertiggestellt werden.

Nicht nur frommen Gebeten, sondern in erster Linie höchst **profanen Zwecken** diente der Dom im 15. und 16. Jh.: Fußgänger benutzten das Mittelschiff mit seinen vielen Ein- und Ausgängen als „Durchgangsstraße". 1628 befand sich die Kirche dann in einem erbärmlichen Zustand und Inigo Jones wurde mit der umfassenden Renovierung beauftragt, die jedoch nie beendet wurde. Während des **Großen Feuers 1666** brannte das Gebäude bis auf die Grundmauern nieder. Ab 1668 reichte Wren mehrmals Entwürfe für eine neue St. Paul's Cathedral ein, konnte jedoch Klerus wie König erst **1675** für seine Ideen begeistern. (Wrens Entwürfe sind in der Krypta ausgestellt). Im selben Jahr erfolgte die Grundsteinlegung für das Gotteshaus und jeden Samstag inspizierte Wren den Fortgang der Arbeiten – 35 Jahre lang. An seinem 78. Geburtstag erlebte er die Fertigstellung seines größten Werkes und die Vollendung seines Lebenstraumes – sein Sohn setzte den Schlussstein in die Kuppel!

Nicht verpassen sollte man den Aufstieg in die **Kuppel** mit den Aussichtsgalerien. Ein Treppenaufgang mit 257 Stufen führt hinauf zur **Whispering Gallery** (Flüstergalerie). In diesem Echogewölbe ist ein leise gehauchtes Wort noch über eine Distanz von 30 m zu hören. Von hier gelangt man über weitere 152 Stu-

nach dem Großen Feuer von 1666 damit beauftragt worden war, die City wieder aufzubauen. Jahrhundertelang war die Kuppel der Kathedrale der höchste Punkt der Stadt. Von den **Aussichtsgalerien** hat man noch heute einen guten Blick über die Dächer Londons, obwohl die Hochhausriesen im Rücken der Kathedrale den Blick nach Osten dominieren.

St. Paul's ist eines der markantesten **Wahrzeichen** von London. Die Kirche hat die Jahrhunderte überdauert und sogar den Bombenangriffen des Zweiten Weltkriegs getrotzt. Heute

fen zur äußeren **Stone Gallery** (Steingalerie), die um die Kuppel herumführt und von der man einen weiten Blick über die Stadt und den Fluss hat. Wer noch Luft hat, steigt weitere 152 Stufen zur **Golden Gallery** (Goldene Galerie) hinauf und wird mit einem noch atemberaubenderen Ausblick belohnt.

Unter der Kuppel ist im Boden des **Hauptschiffes** eine Platte mit einer Inschrift zu Ehren von Christopher Wren eingelassen: „Si monumentum requiris, circumspice" („Wenn du ein Denkmal suchst, blicke um Dich!").

In der **Krypta** befindet sich u. a. die Schatzkammer der Diözese. Neben zahlreichen Kunstwerken, Deckenmalereien und Skulpturen verdienen auch die Grabdenkmäler Beachtung. Hier sind u. a. **Admiral Horatio Nelson** und der **Herzog von Wellington** (1796–1852), der zusammen mit dem Preußen Blücher bei Waterloo Napoleon bezwang, beigesetzt. In der **Künstlerecke** der Krypta liegt hinter einer einfachen Grabplatte Christopher Wren (1632–1723) begraben. Eine Büste und die Totenmaske geben die Gesichtszüge des genialen Baumeisters wieder.

In der Kathedrale gibt es auch ein **Café** und ein gutes **Restaurant**, wo man am Ende einen Besuchs die nötigen Erfrischungen bekommt.

> St. Paul's Churchyard, Ludgate Hill, Tel. 72364128, www.stpauls.co.uk, U-Bahn St. Paul's, Mo–Sa 8.30–16 Uhr, Eintritt: bei Onlinebuchung Erw. 14,50 £ (sonst 16 £), erm. 13 £ (sonst 14 £), Kinder 6 £ (sonst 7 £)

<[*Die weithin im Stadtgebiet sichtbare Kuppel der St. Paul's Cathedral*

Fleet Street, Holborn und St. James's

Die Fleet Street, die sich vom Westrand der City durch Holborn zieht, galt jahrhundertelang als **Synonym für das britische Pressewesen**. 1981 zog die Presseindustrie jedoch in die Docklands nach Wapping. Die Nachrichtenagentur Reuters schloss 2005 ihre Pforten. Einzig verblieben ist heute noch die Vereinigung britischer Journalisten (Hausnummer 89).

Die Fleet Street mündet in die Straße **Strand,** wo sich einst am Themseufer prunkvolle Paläste wie das Somerset House aneinanderreihten. Richtig vornehm geht es im Viertel **St. James's** zu. Neben den Adelspalästen finden sich hier die exklusiven *Gentlemen's Clubs.* In den Palästen an der Straße **Pall Mall,** wie dem Charlton House und dem St. James's Palace, residieren bis heute die Mitglieder der königlichen Familie.

56 St. Bride's Church ★★ [O12]

Beim Ludgate Circus, wo die Fleet Street ihren Anfang nimmt, befindet sich die St. Bride's Church. Sie fiel 1666 dem Großen Brand zum Opfer und wurde wenige Jahre später von **Christopher Wren** neu errichtet. 1940 legten deutsche Bomber das Gotteshaus in Schutt und Asche, in den 1950er-Jahren finanzierten Verlage der Fleet Street den Wiederaufbau. Im Innern findet man überall **Gedenktafeln für Journalisten,** die in Ausübung ihres Berufes ums Leben gekommen sind.

> Fleet Street, Tel. 74270133, www.stbrides.com, U-Bahn St. Paul's, Mo–Fr 8–18 Uhr, Sa unregelmäßig, So 10–18.30 Uhr

57 Inns of Court ★★ [O12]

Von der Fleet Street zweigen kleine Gassen ab, die zu den **Inns of Court**, den **Rechtsanwaltsschulen und Anwaltskanzleien,** führen. Ab 1160 gehörte das Areal den Rittern des Templerordens, es fiel später an die Krone und Edward I. ließ die erste Rechtsgelehrtenschule ins Leben rufen. Die vier großen Rechtsanwaltsschulen Britanniens, Inner Temple und Middle Temple, Lincoln's Inn und Gray's Inn, befinden sich südlich und nördlich der Fleet Street.

Beim Inner Temple findet sich die **Temple Church**, die einstige Ordenskirche der Templer. Das zwischen 1160 und 1185 nach dem Vorbild der Jerusalemer Grabeskirche erbaute Gotteshaus ist eine der wenigen erhaltenen Kirchen im normannischen Stil.

❭ Fleet Street, U-Bahn St. Paul's

58 Dr. Johnson's House ★★ [O12]

Von 1748 bis 1759 lebte **Samuel Johnson** in Haus Nr. 17 am Gough Square. Der Gelehrte gehörte zu den schillerndsten Persönlichkeiten im London des 18. Jh. und wurde 1746 damit beauftragt, ein aktuelles **Wörterbuch der englischen Sprache** zu erstellen. Sein „Dictionary of the English Language", wurde erst im Jahr 1884 durch das Oxford English Dictionary abgelöst. Von Johnson stammt der vielfach zitierte Spruch: „Wer Londons müde ist, ist des Lebens müde."

In dem **Museumshaus**, das originalgetreu restauriert wurde und ein gutes Beispiel für ein Londoner Bürgerhaus des 18. Jh. ist, finden sich u. a. ein Exemplar des Wörterbuchs sowie eine ganze Reihe von weiteren Memorabilien zum Leben und Werk Johnsons.

❭ 17 Gough Square, Tel. 73533745, www.drjohnsonshouse.org, Mai–Sept. Mo–Sa 11–17.30 Uhr, Okt.–April Mo–Sa 11–17 Uhr, Eintritt: Erw. 4,50 £, erm. 3,50 £, Kinder 1,50 £, U-Bahn Temple oder Blackfriars

59 Prince Henry's Room ★ [O12]

Die Fleet Street weiter abwärts ragt linker Hand ein altes **Fachwerkhaus aus der Tudorzeit** auf – eines der wenigen, die den Großen Brand von London 1666 heil überstanden haben. Prince Henry's Room befindet sich gerade im **Umbau** und kann daher zurzeit nur von außen besichtigt werden. Der Stadtchronist Samuel Pepys wurde am 23. Februar 1633 nahebei im Salisbury Court geboren und in der St. Bride's Church getauft.

❭ 17 Fleet Street, U-Bahn Temple oder Blackfriars

60 Temple Bar und Royal Courts of Justice ★ [N12]

Wenige Schritte weiter erhebt sich **Temple Bar**. Umtost vom Verkehr, steht auf einem Sockel mitten auf der Straße ein **geflügelter Drache**. Die Statue trennt Westminster von der City. Einst überspannte hier ein von Christopher Wren errichteter **Torbogen** die Fleet Street, Ende des 19. Jh. mußte er dem wachsenden Verkehr weichen. Im Jahr 2004 wurde der Bogen restauriert und an den Paternoster Square in der Nähe der St. Paul's Cathedral 55 versetzt.

Am Temple Bar Monument klammert der schneeweiße Justizpalast, die **Royal Courts of Justice**, Fleet Street und Strand zusammen. Im

High Court genannten Gericht werden **Zivilgerichtsprozesse** abgehalten. Der Bau geht auf den Anwalt und späteren Architekten George Edmund Street zurück und war das letzte neogotische Gebäude, das in London errichtet wurde. Königin Victoria weihte den Zivilgerichtshof 1882 ein.

❯ Strand, Tel. 79476000, Mo–Fr 9.30–16.30 Uhr, U-Bahn Temple

61 Somerset House ★★★ [N12]

Die Ursprünge von Somerset House gehen auf das Jahr 1547 zurück. Damals wurden am Ufer der Themse viele große Renaissancepaläste errichtet, von denen man per Boot schneller nach Westminster gelangte als über die matschigen, meist verstopften Straßen. Somerset House wurde von **Inigo Jones** und **John Webb** umgebaut, im 18. Jh. abgerissen und von William Chambers für die Adelsfamilie Somerset neu erbaut. Seit 1990 beherbergt es das **Courtauld Institute of Art,** in dessen Kollektion sich fast alle großen Vertreter der italienischen und holländischen Malerei des 15. und 16. Jh. finden. In der Fachwelt bekannt ist das Courtauld Institute aber für seine Kollektion an Impressionisten und Post-Impressionisten. Der **Hermitage Room** zeigt wechselnde Ausstellungen von Leihgaben der Eremitage in St. Petersburg.

Im Innenhof befindet sich vor dem Hauptgebäude ein in den Boden eingearbeiteter **Springbrunnen** mit 55 Fontänen. Im Sommer gruppieren sich erhitzte Touristen rund um das Spektakel und suchen Abkühlung. Kinder können hier stundenlang Unterhaltung finden.

Das Somerset House ist der Veranstaltungsort für die **London Fashion Week,** die zweimal jährlich – im Februar und September – stattfindet, und beherbergt das Restaurant **Tom's Kitchen.** Im Sommer hat man von **Tom's Terrace** einen spektakulären Blick auf die Themse.

❯ Strand, www.somersethouse.org.uk, Tel. 74209406, tgl. 10–18 Uhr, Courtauld Gallery: Eintritt: Erw. 6 £, erm. 5 £, U-Bahn Temple oder Covent Garden

62 St. James's Palace ★★★ [L14]

Von der Südseite des Somerset House kommt man zum **Victoria Embankment** mit den hübschen Embankment Gardens. Am Themseufer erhebt sich flankiert von zwei Sphinx-Statuen ein Obelisk. Die sogenannte „**Cleopatra's Needle**" wurde den Briten vom ägyptischen Herrscher Muhammad Ali 1819 geschenkt, allerdings erst 1878 nach London transportiert und hier aufgestellt.

Über die Northumberland Avenue gelangt man zum **Trafalgar Square** ❼ und dann durch den Admiralty Arch auf die Straße Pall Mall, an deren Ende links das **Tudoranwesen** des St. James's Palace aufragt. Die königliche Residenz wurde von Heinrich VIII. in Auftrag gegeben und zwischen 1531 und 1536 errichtet, später kamen eine Reihe von Nebengebäuden hinzu. Nachdem Königin Victoria ihren offiziellen Sitz im Buckingham Palace genommen hatte, fanden viele offizielle Staatsgeschäfte in St. James's statt, u. a. die Akkreditierung ausländischer Botschafter. Das hat sich bis heute nicht geändert und so ist St. James's nicht zu besichtigen. Vor dem Gatehouse halten zwei bärenfellbemützte Leibgardisten Wache.

❯ Pall Mall, U-Bahn Piccadilly

Hyde Park, Kensington Gardens und Notting Hill

63 Hyde Park ★★★ [J13]

Ursprünglich gehörte das 142 Hektar große Gelände des heutigen Hyde Park zu den Liegenschaften der Westminster Abbey. Unter Heinrich VIII. wurde es zum königlichen Jagdrevier. Rund 100 Jahre später war es bereits ein Naherholungsgebiet.

Der Hyde Park ist **der größte der Londoner Parks** und bietet viele weitläufige Grünflächen, die im Sommer für **Veranstaltungen** genutzt werden. Im Frühjahr und Sommer kann es hier recht voll werden. Rund um den **Serpentine Lake** ist es am belebtesten. Hier lädt die Serpentine Bar & Kitchen zum Ausruhen ein, man kann ein Tret- oder Ruderboot mieten, Schwäne füttern oder sogar im Serpentine Lido ein Bad im See nehmen.

Westlich des Sees erstrecken sich die **Kensington Gardens**, die durch eine Straße und einen Zaun vom Hyde Park getrennt sind. Lange Zeit waren dies die Palastgärten des dortigen **Kensington Palace** 64.

Im Juli 2004 weihte Königin Elizabeth nahe dem Serpentine Lake einen Brunnen zu Ehren ihrer 1997 tödlich verunglückten Ex-Schwiegertochter **Diana**, der ehemaligen **Princess of Wales**, ein. Den kreisrunden, 3,6 Mio. Pfund teuren Brunnen schuf die amerikanische Landschaftsarchitektin Karen Gustafson aus cornischem Granit.

Wer seine Freizeit mit Kunstgenuss abrunden möchte, findet in der **Serpentine Gallery** (s. S. 38) im Sommer wechselnde Ausstellungen mit moderner Kunst und Architektur.

In der Nordost-Ecke des Parks, am **Marble Arch**, befindet sich **Speaker's Corner** (U-Bahn Marble Arch). Sonntags pflegen hier profilierungssüchtige Redner die Kunst der öffentlichen Meinungsäußerung. Gesagt werden darf alles, nur eine Beleidigung des Königshauses hat zu unterbleiben.

Unweit des Hyde Park Corner im Südosten des Parks befindet sich das **7th July Memorial**, das an die 52 Opfer des verheerenden Terroranschlags vom 7. Juli 2005 auf die Londoner U-Bahn erinnert.

❭ U-Bahn Hyde Park Corner oder Marble Arch

64 Kensington Palace ★★★ [H14]

Hauptanziehungspunkt für Kinder in den **Kensington Gardens** ist die **Peter-Pan-Statue** am Nordende des Serpentine Lake, die vom Autor J. M.

143 In Abb.: nh

Barrie gestiftet wurde. Außerdem gibt es im Norden des Parks einen der schönsten **Abenteuerspielplätze** Londons, u. a. mit einem großen Piratenschiff.

Am westlichen Ende des Parks befindet sich **Kensington Palace.** In dem u. a. von Christopher Wren umgestalteten Palais wurde am 24. Mai 1819 die spätere Königin Victoria geboren. Bis zu ihrem Unfalltod lebte hier auch **Prinzessin Diana** mit ihren Kindern. Der Adelsbau ist für die Öffentlichkeit umgestaltet worden und bietet eine Ausstellung über die sieben Prinzessinnen, die hier residiert haben, eine Ausstellung zu Mode und auch Musikveranstaltungen.

> Kensington Gardens, www.hrp.org.uk/ kensingtonpalace, Tel. 0844 4827777, tgl. 10–17 Uhr, Eintritt: Erw. 15 £, erm. 12,40 £, U-Bahn Queensway oder High Street Kensington

65 **Albert Memorial** ★ [H14]

Am südlichen Ende der Kensington Gardens, gegenüber der **Royal Albert Hall** 66, ragt das im neogotischen Stil errichtete Albert Memorial auf, das Königin Victoria 1876 von Gilbert Scott für ihren früh verstorbenen deutschen Ehemann erbauen ließ. Das Abbild des Prinzen Albert von Sachsen-Coburg, der 1861 an Typhus starb, ruht unter einem hohen, spitzen Baldachin. In der Hand hält Albert den Katalog der **Weltausstellung von 1851,** die eine der großartigsten Veranstaltungen der Viktorianischen Epoche war. Am 1. Mai 1851 eröffnete Queen Victoria die Great Exhibition of the Industry of Nations. 6 Mio. Besucher kamen von Mai bis Oktober und bestaunten die Ausstellungspavillons der 15.000 Firmen. Mit dem Gewinn aus der Weltausstel-

lung erstand Prinz Albert ein großes Gelände südlich des Hyde Park und begann damit, das Bild des bis dahin unberührten Dörfchens Kensington nachhaltig zu verändern. Bald öffneten kulturelle und wissenschaftliche Institutionen ihre Pforten.

> Kensington Gardens, U-Bahn Hyde Park Corner oder Queensway

66 **Royal Albert Hall** ★★★[H14]

Direkt gegenüber vom Albert Memorial befindet sich die 1871 fertiggestellte Royal Albert Hall, in der 7000 Zuschauer Platz finden. Obwohl erst nach Prinz Alberts Tod fertiggestellt, war sie Teil seiner Vision, dem Volk Kunst und Wissenschaft nahezubringen und diente zuerst als Ausstellungshalle.

Der Architekt Henry Cole ließ sich von **italienischen Rundbauten inspirieren.** Unterhalb der Kuppel verläuft ein weißer Fries mit Terrakottafiguren, in dem die Geschichte der Zivilisation dargestellt ist. In der Albert Hall findet heute eine große Bandbreite an **Konzerten** statt – von klassisch bis modern. In aller Welt berühmt sind die Konzerte, die im Rahmen der **BBC Proms** (s. S. 14) von Juli bis September hier stattfinden.

> Kensington Gore, Kartenverkauf: Tel. 0845 4015034, www.royalalberthall. com, U-Bahn Kensington High Street

67 **Science Museum** ★★★ [I15]

Im Naturwissenschaftlichen Museum (Science Museum) werden mittels modernster, interaktiver Technik **naturwissenschaftliche Phänomene erklärt.** Für zusätzliche Erläuterungen sorgen eine Vielzahl von Ausstellungsstücken und originalgetreu angefertigte Modelle: Da gibt es Flugzeuge, Dampflokomotiven, Schiffe, Autos und vieles andere mehr.

Alltäglich bevölkern viele Schulklassen die fünf Etagen des Museums. In einem **IMAX-Kino** werden verschiedene Kurzfilme gezeigt und es gibt auch einen **Flugsimulator.** Interessante Kleinigkeiten findet man im Museumsshop: Hier gibt es ausgefallene technische Spielereien wie „Space-Knete" und kleine sogenannte „Gadgets", die sich auch gut als Souvenir eignen.

> Exhibition Road, Tel. 0870 8704868, www.sciencemuseum.org.uk, tgl. 10–18 Uhr, U-Bahn South Kensington, Eintritt frei, außer IMAX-Kino, Flugsimulator und Sonderausstellungen.

68 Natural History Museum ★★★ [I15]

Im Museum für **Naturgeschichte** (Natural History Museum) sind botanische, mineralogische, paläontologische und zoologische Objekte ausgestellt. Grundlage für diese Sammlung bildeten die Exponate von **Sir Hans Sloane,** der sie einst ins Britische Museum einbrachte. Man kann aber z. B. auch die Funde betrachten, die der Weltumsegler **James Cook** und der Forschungsreisende **Charles Darwin** mit nach Hause brachten. Das Museum ist vor allem bei Kindern beliebt, nicht zuletzt wegen des großen **Dinosaurierskeletts** in der Eingangshalle. Es gibt viele **interaktive Elemente** in der Ausstellung, die Kinder stundenlang beschäftigen. Im **selben** Gebäude ist auch das **Geologische Museum** (Geological Museum) untergebracht.

> Cromwell Road, Tel. 79425000, www.nhm.ac.uk, tgl. 10–17.50 Uhr, Eintritt frei, außer bei Sonderausstellungen, U-Bahn South Kensington

69 Victoria & Albert Museum ★★★ [I15]

Das Victoria & Albert Museum, kurz V & A genannt, bietet einen Querschnitt durch das **Kunstschaffen verschiedener Nationen.** Zu den 4 Mio. Ausstellungsstücken zählen frühchristliche Devotionalien, Gemälde, Aquarelle, Skulpturen, Schmuck, Porzellan und Keramik, Textilien und Musikinstrumente. 2004 wurde **Daniel Libeskinds** „Spiral" eröffnet, ein mit Elfenbein und Keramik verkleideter, selbsttragender Anbau.

Die **Gilbert Collection** zeigt über 800 Silber- und Goldschmiedearbeiten, italienische Glasarbeiten sowie Mosaike und Keramiken.

Das Viertel **Knightsbridge**, östlich vom Museumskomplex gelegen, ist ein luxuriöses Wohnquartier, das eine Anzahl von exklusiven Geschäften aufweist. Vor allem am Beauchamp Place und entlang der Walton Road reihen sich neben Pubs, Restaurants und Cafés auch Antiquitätenläden und Boutiquen aneinander.

In der Brompton Road findet sich auch das Kaufhaus **Harrods** (s. S. 18). Der Ägypter **Mohamed Al-Fayed** erstand das Gebäude zusammen mit seinen Brüdern im Jahr 1985. Fayeds Sohn Dodi war der letzte Freund von **Prinzessin Diana** und kam mit ihr bei einem Autounfall 1997 in Paris ums Leben. Im Jahr 2010 verkaufte Al-Fayed das Unternehmen für 1,5 Mrd. Pfund an eine Investmentfirma aus Katar.

› **Victoria & Albert Museum,** Cromwell Road, Tel. 79077073, www.vam.ac.uk, tgl. 10–17.45 Uhr, freitags bis 22 Uhr, Eintritt frei, außer bei Sonderausstellungen, U-Bahn South Kensington

(70) Notting Hill und Portobello Road Market ★★★ [F12]

Westlich vom Hyde Park ist die **Kensington High Street** die zentrale Einkaufsstraße von Kensington (U-Bahn High Street Kensington). Hier gibt es zahlreiche Antiquitätenläden, Pubs und Restaurants. Die Straße führt an einem weiteren hübschen Park, dem **Holland Park** mit dem Holland House, vorbei. Nördlich des Parks beginnt das Viertel **Notting Hill**, unter anderem berühmt geworden durch den gleichnamigen Film mit Julia Roberts und Hugh Grant. In den 1950er-Jahren war Notting Hill das bevorzugte Viertel der karibischen Einwanderer, bevor diese nach Brixton umzogen. Heute ist es ein **schickes Wohnviertel für die gehobene Mittelklasse.**

Nördlich von Notting Hill Gate beginnt die **Portobello Road**, die sich mehrere Kilometer nach Norden erstreckt. Berühmt ist hier der **Portobello Road Market.** Von Antiquitäten über Schmuck und Kleidung bis hin zu Lebensmitteln wird hier alles verkauft.

Am letzten Wochenende im August feiert die westindische Bevölkerung hier auch den **Notting Hill Carnival** mit Paraden, die an den Karneval von Rio erinnern: Man sieht farbenprächtige Kostüme und Steel Bands und es gibt Stände mit karibischen Köstlichkeiten. Bei ca. 1 Mio. Besuchern aus dem In- und Ausland sollte man sich jedoch nur hierher wagen, wenn man mit großem Menschengedränge gut zurechtkommt.

› **Portobello Road Market,** U-Bahn Notting Hill Gate, Ladbroke Grove oder Westbourne Park, Obst- und Gemüsemarkt, Gebrauchsgegenstände und neues Design: Mo–Mi 9–18 Uhr, Do bis 13, Fr/Sa 9–19 Uhr. Antik-, Secondhand- und Flohmarkt: Sa (im Sommer auch Fr) 8–19 Uhr. Der Markt gliedert sich in verschiedene Abschnitte und verläuft über mehrere Kilometer auf verschiedenen Straßen.

‹ Versteinerte Bäume und Dinosaurierskelette: das Museum für Naturgeschichte

Chelsea und Belgravia

In den 1960er-Jahren entwickelte sich die King's Road in Chelsea zu einem Magneten für die „hippe" Mode- und Musikszene der Swinging Sixties. Heute kann man hier vom schicken Sloane Square bis nach Fulham stundenlang durch interessante Boutiquen bummeln oder einen Abstecher zu den teuren Wohnadressen am Themseufer machen.

71 Sloane Street und Sloane Square ★ [J14]

Die **Sloane Street** beginnt bei der U-Bahn-Station Knightsbridge im gleichnamigen schicken Viertel. In der Nachbarschaft befindet sich das Edelkaufhaus Harvey Nichols (s. S. 18). An diesem Ende der Straße, die nach **Sir Hans Sloane** benannt ist, der mit seiner Sammlung den Grundstock für das British Museum 21 legte, reihen sich viele **Boutiquen** internationaler Designer wie Chanel, Dior und Armani aneinander.

Auf dem Weg zum Sloane Square passiert man das östlich angrenzende Viertel **Belgravia**, das zum Besitz des Duke of Westminster, einem der reichsten Aristokraten Großbritanniens, gehört. In den klassizistischen Häusern des Viertels residieren Millionäre und Milliardäre, zu denen Geschäftsleute, Aristokraten und und Stars gehören. Auch Botschaften haben hier ihren Sitz: Die Deutsche Botschaft findet man z. B. bei der Adresse 21–23 Belgrave Square.

Auf dem südlich gelegenen **Sloane Square** endet die Sloane Street. Hier befindet sich das **Royal Court Theatre** (s. S. 35), das durch die Stücke von George Bernhard Shaw, die hier uraufgeführt wurden, sowie durch John

Osbornes „Blick zurück im Zorn", das am 8. Mai 1956 Premiere hatte, berühmt geworden ist: Osbornes Drama gab das Startsignal für die Jugendbewegung der **Angry Young Men**, die im Nachkriegsengland den vorherrschenden Konservativismus attackierten, und markierte den Beginn des modernen realistischen Theaters in Großbritannien.

72 King's Road ★★ [I16]

In südwestlicher Richtung verläuft die King's Road quer duch Chelsea. Einst war dies die private „Schnellstraße" von **Charles II.**, der auf ihr von Whitehall zu seinem Palast Hampton Court und zum Domizil seiner Mätresse, Nell Gwynne, eilen konnte. Erst um 1820 machte man King's Road der Öffentlichkeit zugänglich. Danach wurde das Viertel um die Straße bei **Literaten**, **Künstlern** und **Bohemiens**

EXTRATIPP

Duke of York Square und Saatchi Gallery

Wenn man vom Sloane Square 71 die King's Road hinaufspaziert, führen bald mehrere kleine Gassen nach links zum **Duke of York Square**. Hier wurde ein neues Einkaufsviertel mit schicken Boutiquen, Cafés und Restaurants geschaffen. Direkt hinter dem Platz gelangt man zu einer offenen Grünfläche, die dem Gebäude der ehemaligen Duke of York's Barracks aus dem Jahr 1801 vorgelagert ist. Hier ist heute die **Saatchi Gallery** (s. S. 38) untergebracht, die wohl größte Galerie, in der ein Kunstsammler neuen Talenten die Möglichkeit gibt, ihre Werke zu präsentieren. Der Eintritt ist frei und die Galerie hat auch ein sehr schönes Café.

beliebt. Jonathan Swift und Oscar Wilde sowie Maler wie Dante Gabriel Rosetti und J. M. W. Turner lebten hier. In den 1960er-Jahren wurde Chelsea zur Hochburg der **Swinging Sixties.** Heutzutage prägen Edelboutiquen, Restaurants und Delikatessengeschäfte das Bild von Chelseas Hauptstraße. Bei Hausnummer 430 befindet sich der berühmte Laden, der seit den 1970er-Jahren von der Designerin **Vivienne Westwood** geführt wird. Heute trägt er den Namen Worlds End (s. S. 21).

Die King's Road ist über drei Kilometer lang und der Weg lässt sich mithilfe der Busse Nr. 11 und 22 abkürzen, die regelmäßig die Straße hinauf- und hinabfahren.
> King's Road, U-Bahn Sloane Square

🔴73 Michelin House ★★ [I15]

Einen Abstecher an die Ecke Sloane Avenue/Fulham Road sollte man wegen des Michelin House machen. Es ist das **schönste Jugendstilgebäude Londons** und war ab 1911 Hauptsitz der französischen Reifenfirma. Heute werden in dem Haus vom Designer **Terence Conran** (Gründer des Design Museum 🔴30) Designgeschäfte und das Restaurant Bibendum (s. S. 26) betrieben.
> 81 Fulham Road, U-Bahn South Kensington oder Sloane Square

🔴74 Chelsea Old Church ★ [I17]

In Richtung Themse führt die Old Church Street zur alten Kirche des einstigen Fischerdörfchens Chelsea. Die ältesten Teile des Gotteshauses gehen auf das 13. Jh. zurück. An der südlichen Seite befindet sich die **Thomas-Morus-Kapelle,** unter der – so erzählt eine Legende – der kopflose

Körper des großen Humanisten begraben sein soll. Im Vorhof der Kirche steht seine Statue. In Inneren der Chelsea Old Church ist auch der große Gönner **Sir Hans Sloane** begraben.
> Old Church Street/Ecke Cheyne Walk, Tel. 77951019, www.chelseaoldchurch. org.uk, Di, Do 14–16 Uhr, U-Bahn South Kensington oder Sloane Square, Busse 19, 49, 211, 319

🔴75 Cheyne Walk ★ [I17]

An der Kirche beginnt in östlicher Richtung entlang des Themseufers der Cheyne Walk. Nirgendwo sonst in London haben auf derart engem Raum so viele berühmte Zeitgenossen gewohnt wie hier – von **Henry James** (1843–1916, sein Grab findet man in der Old Church) über **T. S. Eliot** (1888–1965) bis zu **Keith Richards** und **Mick Jagger.** Nach einem Spaziergang entlang der exklusiven Häuserfronten mit wunderschönem Themseblick versteht man auch, warum.
> U-Bahn Sloane Square, Busse 19, 49, 211, 319

🔴76 Carlyle's House ★ [I17]

In der Cheyne Row lebte der Historiker **Thomas Carlyle** (1795–1881). Das Haus ist mitsamt Mobiliar erhalten und seit 1896 ein kleines Museum. Carlyle war einer der **bedeutendsten Intellektuellen seiner Zeit.** Die großen Geister der Viktorianischen Epoche gingen bei ihm ein und aus. Bekannt geworden war er mit seinem 1837 erschienenen, dreibändigen Werk über die Französische Revolution. Danach festigte Carlyle seinen Ruf mit einer Arbeit über Friedrich II. von Preußen sowie über das Leben von Friedrich Schiller.

Im **Chelsea Embankment Garden** am Ende des Cheyne Walk befindet sich eine lebensgroße Statue des Hausherrn, wie er gedankenversunken auf einem Stuhl sitzt.

› 24 Cheyne Row, Tel. 73527087, www.nationaltrust.org.uk, März–Okt. Mi–So 11–17 Uhr, Eintritt: Erw. 5,10 £, Kinder 2,60 £, U-Bahn Sloane Square, Busse 19, 49, 211, 319

77 Royal Hospital ★★★ [J16]

Der Uferweg **Chelsea Embankment** zeichnet sich durch den schönen Blick auf die Themse aus. Vorbei am **Chelsea Physics Garden** sieht man am anderen Ufer die **Battersea Power Station** aufragen. Das in den 1930er-Jahren geschaffene Bauwerk soll in ein Kulturzentrum umgewandelt werden.

Weiter nördlich befindet sich das **Royal Hospital.** Hier dürfen seit dem Jahr 1682 verdiente Veteranen ihren Lebensabend verbringen. Verschiedene Räume des eindrucksvollen historischen Gebäudes können besichtigt werden. Unter anderem wird eine Führung mit einem der traditionell mit einer roten Uniform bekleideten Chelsea Pensioners angeboten. Ende Mai findet auf dem Gelände die berühmte **Chelsea Flower Show** (s. S. 12) statt.

Vom Royal Hospital gelangt man in wenigen Minuten wieder zum Sloane Square und zur U-Bahn.

› Royal Hospital Road, Tel. 78815200, www.chelsea-pensioners.org.uk, Museum und Gelände Mo–Sa 10–12, 14–16 Uhr, Halle Mo–Sa 11–12, 14–16 Uhr, Eintritt frei, U-Bahn Sloane Square, Busse 19, 137, 211, 239

› Tate Britain, die berühmte Galerie für Britische Malerei

78 Tate Britain ★★★ [M15]

Wer möchte, kann nun noch einen Besuch in der Tate Britain Gallery anschließen. Man fährt dazu mit der U-Bahn vom Sloane Square bis Victoria, steigt dort um und fährt weiter bis zur Station Pimlico.

Die weltberühmte Gemäldegalerie von **Sir Henry Tate**, der seine eigene Sammlung von Bildern einbrachte, wurde im Jahre 1897 gegründet. Heute ist hier **Britische Malerei** aller bedeutenden Meister vom 16. bis zum 19. Jh. zu besichtigen. Besondere Bedeutung kommt der angeschlossenen, 1987 eingeweihten Clore Gallery zu, in der fast das gesamte Œuvre von **J. William Turner** auf den Besucher wartet.

Zwischen der **Tate Modern** 39 und der Tate Britain gibt es während der Öffnungszeiten alle 40 Minuten einen **Shuttle-Fährservice** zum jeweils anderen Museum. Die Boote halten auf der Tour auch am Riesenrad London Eye 35.

› Millbank, Tel. 78878888, www.tate.org.uk, tgl. 10–18 Uhr, unregelmäßig freitagabends Sonderveranstaltungen bis 22 Uhr, Eintritt frei, U-Bahn Pimlico

Das East End

Das East End war einst die Heimat der ersten **elisabethanischen Theater** Londons und später **Einwandererhochburg** und machte jahrhundertelang vor allem aufgrund seiner schlechten Lebensbedingungen und hohen Kriminalitätsraten von sich reden. Hier wohnten die Ärmsten der Armen, Verbrecher wie Jack the Ripper machten die Straßen unsicher und man verfiel dem billigen Fusel.

Heute hat das Viertel einen **multikulturellen Kern:** Die Gegend um den Bezirk Whitechapel ist von arabischen Geschäften und der Ostlondoner Moschee geprägt, die südliche **Brick Lane** ⑧⓪ wird vor allem von Einwanderern aus Pakistan bewohnt.

In den 1990er-Jahren entdeckte die **Künstlerszene** das Viertel, nun hat in den einst billigen Lofts der alten Warenhäuser allerdings die **Gentrifizierung** eingesetzt. Die Immobilienpreise stiegen in unerschwingliche Höhen und die Yuppies zogen her. Während **Shoreditch, Hoxton und Spitalfields** noch immer für **Nachtleben, Galerien, Klubs und Läden** bekannt sind, haben sich anderswo kreative Unternehmen der IT-Branche, Designer und Werbeagenturen angesiedelt.

⑦⑨ Whitechapel Gallery ★★★ [R11]

Einen guten ersten Eindruck von der **lebhaften Kulturszene** des East End gewinnt man in der Whitechapel Gallery. Auf Initiative des Wohltäters Samuel Barnett wurde das Kulturzentrum im Jahr 1901 ins Leben gerufen. Hier wird noch heute die Bevölkerung sehr stark in das Kulturprogramm miteinbezogen und es gibt viele **Workshops** und **Kurse.** Schon immer setzte man sich für die **Belange der Anwohner** ein. So wurde 1939 nach dem Überfall der Faschisten auf das von Juden bewohnte East End Picassos „Guernica" ausgestellt. Die Galerie war auch eine der ersten, die in den 1960er-Jahren Pop-Art zeigte.

Der Eintritt in die Galerie ist kostenlos und hier kann man einige „**Klassiker" der modernen Kunst** bewundern, aber auch **Werke zeitgenössischer Künstler.**

❯ 80 Whitechapel High Street,
  Tel. 75227888, www.whitechapel.org,
  U-Bahn Aldgate East, Di–So 11–18 Uhr,
  Do bis 21 Uhr, Eintritt frei

⑧⓪ Brick Lane ★★ [R11]

Von der Whitechapel Gallery ⑦⑨ ein Stückchen weiter in Richtung Osten gelangt man zur Brick Lane. Hier haben einige **Graffiti** überlebt, **Galerien** und **Kulturräume** reihen sich aneinander.

Ein **Torbogen** markiert den Eingang zum **bengalischen Teil** der Straße mit zahlreichen Curry-Restaurants, Sari-Shops und Videoläden mit den neusten Filmen aus Bollywood. Im Mai findet hier das **Baishaki Mela** (www.baishakhimela.org.uk) statt, das Neujahrsfest der Bengalen mit Umzügen und indischen Tanzveranstaltungen.

Geht man weiter nach Norden, erstreckt sich rechter Hand der Komplex der **Old Truman Brewery.** Hier wurde in einer alten Brauerei ein **Zentrum für Design und Mode** eingerichtet. Zahlreiche Agenturen sind hier beheimatet, es finden Märkte wie der **Sunday Upmarket** statt (s. S. 19) und es gibt **Restaurants,** einen **Konzertraum** und einen **Nachtklub.**

❯ The Old Truman Brewery,
  91 Brick Lane, Tel. 77706000,
  www.trumanbrewery.com

81 Spitalfields Market und Spitalfields Arts Market ★★★ [R11]

Im Viertel Spitalfields finden zwei der größten Märkte Londons statt, der Straßenmarkt auf der Petticoat Lane 82 und der überdachte **Kunsthandwerks- und Designmarkt** in Spitalfields – beide ziehen sonntags Hunderte von Besuchern an. Von der Brick Lane 80 in Richtung Westen gelangt man zunächst zur **Commercial Street.** Rund um diese Straße gibt es zahlreiche Cafés, Restaurants und Läden und hier lässt es sich an Markttagen (besonders sonntags) gut bummeln.

Bereits 1887 entstand hier eine **Markthalle** mit einem **Glasdach mit** Einfeldträgern, einer bahnbrechenden viktorianischen Bautechnik. 1991 begann man mit der **Sanierung** der maroden Halle und etwa zwei Drittel des Gebäudes wurden abgerissen. Unter dem Architekten **Sir Norman Foster** entstanden ein **Bürokomplex** und eine angegliederte Markthalle, wo heute der Markt stattfindet, auf dem junge Designer ihre handgeschneiderten Kreationen zeigen. Daran schließt der Kunsthandwerksmarkt Spitalfields Arts Market an, wo man die dazugehörigen **modischen Accessoires** wie Schmuck, aber auch **Einrichtungsgegenstände** kaufen kann. In der luftigen, hellen Markthalle gibt es zahlreiche Restaurants.

> **Spitalfields Market und Spitalfields Arts Market,** Commercial Road, www. spitalfields.co.uk, Mo–Fr 10–17, So 9–17 Uhr, U-Bahn Liverpool Street

Östlich des Spitalfields Market befindet sich an der Ecke Commercial Street/Fournier Street die von Nicholas Hawksmore 1729 errichtete **Christ Church.** In dem kleinen Kirchgarten speiste man in früheren Zeiten die **Obdachlosen** der Umgebung. Heute befindet sich vor dem freundlichen Park ein **Café,** in dem sich die Spaziergänger ausruhen und das Treiben auf der Commercial Street beobachten.

> Commercial Street/ Ecke Fournier Street, U-Bahn Aldgate East, Tel. 72477202, www.christchurchspitalfields.org, Di 11–16 Uhr, So 13–16 Uhr

82 Petticoat Lane Market ★★ [R12]

Von der Commercial Street gelangt man über die Brushfield Street auf die Middlesex Street, wo der Petticoat Lane Market stattfindet. Der **Straßenmarkt** geht auf die Seidenwebereien

KLEINE PAUSE

The Ten Bells

Unweit der Kirche Christ Church Spitalfields befindet sich der Pub The Ten Bells, der mit den Morden von **Jack the Ripper** in Verbindung gebracht wird, da dort wahrscheinlich der Täter wie auch seine Opfer verkehrten. Die Kneipe hieß zwischen 1890 und den 1970er-Jahren sogar „Jack the Ripper Pub" und besaß einst ein Fenster, in dem die grauenhaften Morde dargestellt waren. **Mary Kelly,** das fünfte Opfer des Killers, ging rund um den Pub auf Kundenfang. Es wurde später berichtet, sie habe im Ten Bells ihr letztes Bier getrunken, bevor sie ermordet wurde.

Heute ist der Pub freundlich, sonnig und immer von Menschen umgeben. Wer eine Stadttour auf den Spuren von Jack the Ripper unternimmt, wird hier auf jeden Fall einkehren.

> **155** [R11] **The Ten Bells,** 84 Commercial Street, U-Bahn Liverpool Street

der Hugenotten zurück, die hier Unterröcke und andere Unterwäsche herstellten. Auch die jüdischen Einwanderer waren größtenteils im Textilgewerbe beschäftigt. Die einstige „Petticoat Lane" wurde von den Viktorianern in Middlesex Street umgetauft.

Der heutige Markt bietet eine **multikulturelle Atmosphäre**, viele Wühltische und alles von Kleidung über CDs bis zu Haushaltsgegenständen – teilweise auch tolle **Schnäppchen**. An fast 1000 Ständen kann man sich das Passende aussuchen, etwas Zeit und Spaß am Stöbern sollte man allerdings mitbringen.

❯ Middlesex Street, U-Bahn Aldgate East, So 9 – 14 Uhr, Mo – Fr 10 – 16 Uhr nur Wentworth Street

83 Shoreditch High Street ★ [R10]

Vom Nordende der Middlesex Street gelangt man in das **Viertel Shoreditch**. Entlang der Shoreditch High Street und im benachbarten **Hoxton**, entlang der Old Street, wird seit zwei Jahrzehnten die alte East-End-Architektur aufpoliert. Zahlreiche **moderne Hotels** wie das Shoreditch Rooms (s. S. 121) oder das Boundary (s. S. 120) des Designers Terence Conran ziehen inzwischen internationale Gäste an und es lohnt sich, in Seitenstraßen wie der Cheshire Street und der Redchurch Street, die das Nordende der Brick Lane kreuzen, zu **bummeln**. Hier findet man **Secondhandläden**, aber auch neue und ausgefallene **Designerboutiquen, Galerien** und zahlreiche **Café-Bars**.

An der Shoreditch High Street ist z. B. die Kirche **St. Leonhard's** aus dem Jahr 1740 historisch interessant. Hier befand sich einst das elisabethanische Schauspielhaus **The Theatre** und in der Kirche gibt es eine Gedenkplatte, die an den Theatergründer James Burbage erinnert. Die **Town Hall** aus dem Jahr 1866 in der Old Street ist heute in Privatbesitz und ein Veranstaltungsort.

In Hoxton und Shoreditch finden sich noch heute viele kleine **Galerien**, in denen **zeitgenössische Kunst** ausgestellt wird. In der Gegend um die Old Street lohnt z. B. Rivington Place einen Besuch.

🅖156 [Q10] **Rivington Place,** Rivington Place, Shoreditch, U-Bahn Shoreditch High Street oder Old Street, Tel. 77491240, www.rivingtonplace.org, www.iniva.org, geöffnet: Di, Mi, Fr 11 – 18, Do 11 – 21, Sa 12 – 18 Uhr. Sitz des Institute of International Visual Arts, interessante Ausstellungen moderner Künstler. Man will ein breites Spektrum neuer Kunst aus aller Welt zeigen.

Durch die Docklands nach Greenwich

Die Docklands, ein ca. 20 km² großes Hafengebiet, waren über die Jahrhunderte Europas bedeutendster Warenumschlagplatz. In den 1960er-Jahren wurden sie wirtschaftlich unbedeutend und nach einer langen Zeit des Verfalls begann in den 1980er-Jahren durch die London Docklands Development Corporation (LDDC) eine **Sanierung des Geländes.** Heute sind überall die historischen Fassaden der Lagerhäuser unter **Denkmalschutz** gestellt, Lofts wurden in teure Apartments umgewandelt, es sind Restaurants und Geschäfte eingezogen.

Auf der **Isle of Dogs** entstand ein neuer **Industrie- und Bürokomplex,** der der City of London Konkurrenz macht und vom 244 m hohe Canary

Wharf Tower überragt wird. Die **Docklands Light Railway** (DLR) fährt quer durch die futuristisch anmutende Kulisse. Auf ihrem Weg nach Greenwich unterquert die Bahn die Themse.

84 **Museum in Docklands** ★★★ [W12]

An der Station West India Quay sollte man die DLR verlassen, denn nahebei (ausgeschildert) befindet sich an der Hertsmere Road dieses hochinteressante Museum, das die **Geschichte der Themse und des einstigen Hafengebietes** sowie das Leben der Bewohner mit vielen Ausstellungsstücken wieder lebendig macht.

❯ No. 1 Warehouse, West India Quay, Tel. 70019844, www.museumoflondon.org.uk/docklands, tgl. 10–18 Uhr, Eintritt frei, DLR West India Quay, U-Bahn Canary Wharf

△ *Postmoderne Architektur in den Docklands an der Canary Wharf*

85 **Canary Wharf Tower** ★ [W13]

Im Untergeschoss des riesigen Canary Wharf Tower fänden zwei Fußballfelder bequem Platz und alles ist mit feinstem Marmor verkleidet. Überall gibt es kleine Cafés und Läden und drumherum finden sich hübsche Gartenanlagen. Sehr empfehlenswert ist ein Spaziergang von Canary Wharf in Richtung der DLR-Station Crossharbour. Von hier gewinnt man am besten einen Eindruck von der **futuristischen Architektur**. Nur einen Steinwurf vom Crossharbour-Bahnsteig entfernt überspannt die kleine **Glengall Bridge** ein ehemaliges Hafenbecken. Von dort hat man eine prachtvolle Aussicht auf den Canary Wharf Tower, der bis zum Bau der neuen Riesen in der City und in Bermondsey das höchste Gebäude in London war.

Von der Canary Wharf führen Stufen hinunter auf einen offenen Platz mit dem Eingangstor der **U-Bahn-Station Canary Wharf**, durch die jeden Tag 90.000 Menschen in die Büros strömen. Ein Spaziergang über das Areal mit Brücken und Kanälen eröffnet einen guten Ausblick auf die Hochhaustürme.

❯ Canary Wharf, DLR und U-Bahn Canary Wharf

86 **Cutty Sark** ★★ [X16]

Vom DLR-Bahnhof Canary Wharf geht es weiter in Richtung Greenwich zur Station „Cutty Sark for Maritime Greenwich". Wer die Themse lieber per pedes unterqueren möchte, der steigt an der Haltestelle Island Garden aus und benutzt den alten **Fußgängertunnel**, der beim Liegeplatz der Cutty Sark endet.

Die **Cutty Sark** ist ein historischer Teeklipper, der seit den 1950er-Jah-

🕐**157** [X16] **Gipsy Moth,** 60 Greenwich Church Street, Tel. 88580786, www.thegipsymoth greenwich.co.uk, Mo–Do 12–23, Fr/Sa 12–24, So 12–22.30 Uhr. Der historische Pub wurde in einen Gastropub mit ansprechender Speisekarte verwandelt.

ren hier im Trockendock liegt und an die glorreichen Tage der Handelsschifffahrt erinnert. Leider **brannte das Schiff im Jahr 2010 völlig aus.** Nach der **Restaurierung** kann man nun den ausgehöhlten Rumpf des Schiffes wieder besichtigen. Außerdem wurde eine Besucherzentrum eingerichtet.

> King William Walk, Greenwich Pier, DLR Cutty Sark, Tel. 88584422, www. rmg.co.uk/cuttysark, Di–So 10–17 Uhr, Erw. 12 £, erm. 9,50 £, Kinder 6,50 £

87 Royal Naval College ★★★ [X16]

Gleich neben der Cutty Sark erstreckt sich das Gelände des Royal Naval College, ehemals das Royal Naval Hospital. Das Barockgebäude entstand unter **Sir Christopher Wren** in Anlehnung an den Dome des Invalides in Paris ursprünglich als **Krankenhaus für Seeleute.** Es besteht aus zwei identischen Bauten mit **Kuppeltürmen.** Dazwischen eröffnet sich der Blick auf das dahinterliegende **Queen's House.** Zur Zeit von Wrens Bauarbeiten bestand die damalige Königin, Mary II., darauf, dass der Blick vom bereits bestehenden Queen's House auf die Themse unbedingt freigehalten werden müsse – von der Symmetrie der

Anlage profitiert heute der Betrachter. Das Queen's House wurde von James I. 1616 beim Baumeister **Inigo Jones** für **Königin Anna von Dänemark** in Auftrag gegeben. Neben dem Banqueting House **13** ist es eines der wenigen Gebäude von Jones im palladianischen Stil.

Die ersten verdienten Seeleute zogen 1705 in das **Royal Naval Hospital,** einhundert Jahre später verlebten rund 2000 Veteranen ihren Lebensabend in dem prunkvollen Gebäude. Heute beherbergt das Gebäude Teile der **Universität von Greenwich** und das **Trinity College of Music.** Zu besichtigen sind die **Rokokokapelle** und die **Painted Hall.**

> Cutty Sark Gardens, Greenwich, Tel. 82694799, www.ornc.org, tgl. 10–17 Uhr, Eintritt frei, DLR Cutty Sark

88 National Maritime Museum ★★★ [Y16]

Gegenüber vom Royal Naval College befindet sich im **Queen's House** sowie in den mit Kolonnaden verbundenen Ost- und Westflügeln das sehenswerte National Maritime Museum, eines der schönsten und größten **Marinemuseen** der Welt.

Neben Hunderten von interessanten Schiffsmodellen, nautischen Instrumenten, alten Seekarten und Globen, aber auch Barkassen, Dampfschiffen sowie Booten in Originalgröße sind besonders **die Cook- und die Nelson-Galerie** von Bedeutung: Hier ehrt man den Weltumsegler und Entdecker James Cook (1728–1779) sowie Britanniens größten Seehelden, Horatio Nelson (1758–1805).

> Romney Road, Tel. 88584422, www1.rmg.co.uk, tgl. 10–17 Uhr, Eintritt frei, DLR Cutty Sark

89 Royal Observatory ★★★ [Y17]

Hinter dem National Maritime Museum breitet sich der **Greenwich Park** aus. Auf einem Hügel inmitten der Anlage steht das berühmte **Königliche Observatorium,** das 1675 unter der Bauaufsicht von Christopher Wren für den Astronomen John Flamstead errichtet wurde.

Eine Vielzahl astronomischer Instrumente, Ferngläser und Teleskope sowie natürlich der berühmte **Nullmeridian,** sichtbar durch einen schmalen Metallstreifen im Gebäudehof, gehören zu den Attraktionen der kleinen Sternwarte. Ein **Planetarium** erklärt den Besuchern hier außerdem den Sternenhimmel.

❯ Blackheath Avenue, DLR Cutty Sark, Tel. 88584422, www.rmg.co.uk, tgl. 10–17 Uhr, Planetarium: Tagesticket mit Sonderausstellungen Erw. 7 £, erm. 5 £, Kinder 2 £

90 O2 Arena (Millennium Dome) ★ [Y13]

Diese **Konzert- und Veranstaltungshalle** beherbergt u.a. das Museum **British Music Experience,** das Besucher mit Musikdarbietungen und Exponaten der Pop- und Rockstars durch die Dekaden britischer Musik führt. Von der O2 Arena kann man auch mit dem **Sessellift Emirates Air Line** auf bis zu 90 m Höhe zum ExCel Centre (DRL Royal Victoria) auf der Nordseite der Themse schweben.

❯ **O2 Arena,** Millennium Way, North Greenwich, U-Bahn North Greenwich, Tel. 0844 8560202, www.theo2.co.uk

❯ **British Music Experience,** Tel. 0844 8472477, www.britishmusicexperience. com, Mo–So 11–19.30 Uhr, Eintritt: Erw. 13 £, Kinder 6,50 £

❯ **Emirates Air Line,** www.tfl.gov.uk, Mo–Fr 7–21, Sa 8–21, So 9–21 Uhr, Erw. £ 4,30/Kinder £ 2,20, mit Oyster Card £ 3,20/£ 1,60

148In Abb.: sh

079|ln Abb.: hs

Ausflüge in die Umgebung

91 Little Venice und Camden ★★★ [H11]

Das **kleine Venedig** befindet sich in Maida Vale, einem eleganten Viertel mit klassizistischer Architektur, das sich rund um den Regent's Canal bzw. den Grand Union Canal erstreckt. Diese beiden künstlichen Wasserstraßen dienten früher der Versorgung der Metropole und waren von Lastkähnen stark befahren. In Maida Vale befindet sich eine der großen **Schleusen** des Kanals.

Die bunt verzierten „**Narrow Boats**", schmale Boote, die den Kanal befuhren, dienen heute als Haus- und Ausflugsboote. Von Little Venice aus kann man **Bootstouren** durch eine abwechslungsreiche Landschaft zum **Londoner Zoo** 25 und bis nach **Camden** zum Bootsanleger Camden Lock (U-Bahn Camden Town) unternehmen. (Im Fahrpreis ist ein ermäßigtes Ticket für den Eintritt in den Zoo enthalten. Schippert man bis Camden Lock, führt die Route quer durch das Menageriegelände und man kann zumindest einen Blick auf das eine oder andere Tiergehege werfen.)

In Camden entwickelte sich gegen Ende der 1970er-/Anfang der 1980er-Jahre ein **alternatives Zentrum** mit kleinen Werkstätten und Geschäften. Inzwischen hat sich in dem Szeneviertel und der Heimat der Rockmusiker einer der größten Märkte Londons entwickelt, der **Camden Market** (s. S. 18). Praktisch das gesamte Stadtzentrum von Camden

⌃ Die Kanäle in Little Venice werden heute von Hausbooten genutzt

◁ Teleskop von Edward Halley im Royal Observatory

ist von Boutiquen und Marktständen übersät. Am Camden Lock befinden sich Markthallen, in denen man **ausgefallene Kleidung** von „Grufti" bis „Dance Wear", **Designobjekte, Möbel** und vieles mehr kaufen kann. Man kann hier gut und gerne mehrere Stunden verbringen, am Kanal in einem der vielen **Cafés** am Wasser sitzen und schräge Typen beobachten.

> **Little Venice:** U-Bahn Warwick Avenue
> **Camden:** U-Bahn Camden Town
> **Bootsfahrten:** z. B. London Waterbus Company, 58 Camden Lock Place, Tel. 74822550, www.londonwaterbus. com, April–Sept.

92 **Hampstead Heath** ★★★[H5]

Dieses Areal nördlich des Stadtzentrums ist ein erstrangiges **Naherholungsgebiet** der Londoner Bevölkerung und wird gern an warmen Wochenenden von picknickbegeisterten Familien besucht. Einen geruhsamen Spaziergang durch die ausgedehnte Heide-, Wald- und Seenlandschaft sollte der London-Besucher nicht auslassen. Im Übrigen hat man von dieser **höchsten Erhebung der Metropole** (134 m ü. NN) an klaren Tagen einen weiten Blick über die Hauptstadt.

Im Dörfchen Hampstead gibt es verschiedene sehenswerte Museen: **Keats' Grove**, das Wohnhaus des Dichters John Keats, den im 17. Jh. erbauten Herrensitz **Fenton House** und das Haus, in dem **Sigmund Freud** seine letzten Lebensmonate verbracht hat. Die Einrichtung ist originalgetreu erhalten und seit 1986 ist in dem Gebäude eine der Öffentlichkeit zugängliche **Gedenkstätte** eingerichtet.

> **Keats' Grove,** 10 Keats' Grove, Tel. 73323868, www.cityoflondon.gov. uk/keatshouse, Winter Fr–So 13–17,

Sommer Di–So 13–17 Uhr. Eintritt: Erw. 5 £, erm. 3 £, Kinder frei
> **Fenton House,** Hampstead Grove, Tel. 74353471, www.nationaltrust.org, U-Bahn Hampstead, Apr.–Okt. Mi–Fr 14–17 Uhr, Sa, So 11–17 Uhr, Eintritt: Erw. 6,50 £, Kinder 3 £
> **Freud Museum London,** 20 Maresfield Gardens, Tel. 74352002, www.freud. org.uk, Mi–So 12–17 Uhr, Eintritt: Erw. 6 £, erm. 4,50 £, Kinder 3 £
> U-Bahn Hampstead

93 **Kew Gardens** ★★★

Kew Gardens (eigentlich The Royal Botanic Gardens) ist ein 121 ha großer **Botanischer Garten,** der sich im Südwesten Londons entlang der Themse erstreckt. 1759 richtete die Mutter von George III. den ersten Teil dieses Parks ein und 1772 begann Sir John Banks mit einer gezielten Gestaltung des Areals. Auf seine Anweisung hin sammelten viele Reisende jener Tage Samen und Pflanzen aus fremden Ländern, die in Kew Gardens gesetzt und gepflegt wurden. Eine besondere Attraktion sind die riesigen **Gewächshäuser mit dem Palmenhaus.** Wahrzeichen von Kew Gardens ist die 50 m hohe, achteckige **Chinesische Pagode,** die 1762 errichtet wurde. Zwei kleine Cafés bieten Tee, Kaffee und Snacks an und sorgen für das leibliche Wohl.

Südlich von Kew Gardens liegt das Städtchen **Richmond** (U-Bahn Richmond), das von Richmond Park und Deer Park umgeben ist.

> **Royal Botanic Gardens,** Kew, Tel. 83325000, www.kew.org, geöffnet: März–Aug. Mo–Fr 9.30–18.30, Sa/So bis 19.30, Sept.–Okt. 9.30–18, Nov.–Jan. 9.30–16.15, Feb.–März 9.30–17.30 Uhr, Eintritt: Erw. 16 £, erm. 14 £, Kinder unter 16 Jahren frei

Praktische Reisetipps

089ln Abb.: fo/Roland Nagy

An- und Rückreise

Mit dem Flugzeug

Londons fünf Flughäfen sind **Heathrow** (im Westen der Metropole), **Gatwick** (im Süden), **Stansted** (im Norden), **Luton** (im Nordwesten) und der **London City Airport** in den ehemaligen Docklands. Lufthansa, Austrian Airlines, Swiss und British Airways fliegen meist Heathrow an, die Billigflieger wie Germanwings oder Easy Jet haben Luton, Gatwick und Stansted in ihrem Angebot. Die **Preise** für einen Hin- und Rückflug mit **Lufthansa oder British Airways** starten bei ca. 150 €. Bei **Billigfliegern** wie **Easy Jet** beginnen die Preise für einen einfachen Flug bei 70 €.

> **Austrian Airlines**, www.aua.com
> **British Airways**,
> www.britishairways.com
> **Lufthansa**, www.lufthansa.de
> **Swiss**, www.swiss.com
> **Easy Jet**, www.easyjet.com
> **Germanwings**,
> www.germanwings.com

Vom Flughafen in die Stadt

Von **Heathrow** aus fährt die **Tube** (Piccadilly Line), die Londoner U-Bahn, bis ins Stadtzentrum, während der Hauptverkehrszeiten sogar alle fünf Minuten. Die Fahrt bis Piccadilly Circus dauert ca. 50 Min., eine Fahrkarte kostet 5,50 £. Die erste U-Bahn verlässt morgens gegen 5 Uhr (So 5.50 Uhr) den Flughafen, der letzte Zug fährt um 23.41 Uhr (So 23.53 Uhr). Die schnellste Verbindung ins Zentrum bietet der **Heathrow Express**, der alle 15 Minuten zwischen

5.10 und 23.45 Uhr fährt und bis Paddington Station nur 15 Minuten Fahrtzeit benötigt. Der Preis für eine einfache Fahrt beträgt 20 £. Von Paddington Station aus erreicht der Besucher mit der U-Bahn sein weiteres Ziel in der Stadt. Vom Flughafen Gatwick aus fährt der **Gatwick Express** bis zur Victoria Station. Die Züge verkehren zwischen 5 Uhr (ab Victoria) bzw. 5.50 Uhr (ab Gatwick) und Mitternacht alle 15 Minuten (ab Mitternacht nur sporadische Fahrten). Die Fahrt dauert 30 Minuten und man zahlt 19,90 £. Von Stansted verkehrt alle 15 bis 45 Minuten der **Stansted Express** zur Liverpool Street Station, eine Fahrkarte kostet 23,40 £. Das Flughafengebäude von Stansted ist übrigens mehrfach preisgekrönt worden.

> www.heathrowexpress.com
> www.gatwickexpress.com
> www.stanstedexpress.com

Vom Flughafen **Luton** fährt alle paar Minuten ein kostenloser **Shuttlebus** zum Bahnhof Luton Airport Parkway und von dort verkehrt rund um die Uhr ein **Thameslink-Zug** in die Innenstadt, der für die Fahrt nach King's Cross 25 Minuten benötigt. Der Fahrpreis beträgt 13,50 £. Vom **City Airport** bringt die **Docklands Light Railway** den Besucher zu den U-Bahnhöfen Canary Wharf oder Bank. Von dort geht es dann mit der Tube ans gewünschte Ziel. Eine Fahrkarte kostet 4,50 £. Für die Tube und die DLR gelten auch die **Travelcard** und die **Oyster Card** (s. S. 126). Eine preiswerte Busfahrt in die Stadt bietet der **Easybus**. Er fährt von Gatwick zur U-Bahn-Haltestelle Earl's Court und von Luton und Stansted zur U-Bahn-Haltestelle Baker Street. Je nach Route kostet die Fahrt mit dem Bus ab 2 £ pro Strecke.

> www.easybus.co.uk

◁ *Vorseite: Big Ben, eines der bekanntesten Wahrzeichen (s. S. 58)*

Mit dem Zug

Ab Paris und Brüssel verkehrt der **Eurostar-Hochgeschwindigkeitszug** durch den Kanaltunnel bis zum Londoner Bahnhof St. Pancras. Die Verbindung über Brüssel ist schneller und günstiger als die über Paris. Sonderangebote für den Eurostar gibt es bei entsprechender Vorausbuchung bereits ab ca. 80 € für Hin- und Rückfahrt (www.eurostar.com). Zum Bahnhof **Bruxelles-Midi**, von dem der Eurostar startet, gelangt man mit dem IC von vielen deutschen Bahnhöfen aus. Die Deutsche Bahn bietet z .B. den günstigen Tarif „Europa-Spezial" an, der auch für Brüssel gilt.

Mit dem Auto

Wer London mit dem eigenen Pkw besuchen will, sollte die Fähre vom französischen **Calais** (bis Dover ca. 50 Min.) nehmen. Es gibt Angebote ab 60 € (hin und zurück) für ein Auto mit zwei Insassen. Die Fähren legen in der Regel an den Eastern Docks in **Dover** an, direkt hinter dem Zollbereich geht es links ab, Hinweisschilder zeigen an: „London–Canterbury A 2" (sollte die Fähre an den Western Docks anlegen, folgt man zunächst den Wegweisern „All Routes" (Alle Richtungen) und achtet dann auf die Hinweisschilder „London–Canterbury A 2").

Reisedokument für Kinder

Seit dem 26. Juni 2012 berechtigen Kindereinträge im Reisepass der Eltern das Kind nicht mehr zum Grenzübertritt. Somit müssen alle Kinder ab Geburt bei Reisen ins Ausland über ein eigenes Reisedokument verfügen.

In Abb.: hs 049

Des Weiteren kann man den Wagen im „Huckepack"-Verfahren auf einem Zug durch den Kanaltunnel von Calais bis **Folkestone** befördern lassen. Die Preise orientieren sich dabei an den Fährtarifen.

Autofahren

Wer mit dem Auto nach London fährt, muss sich darüber im Klaren sein, dass im Innenstadtbereich, in der Zone, die mit einem weiß auf rot markierten „C" gekennzeichnet ist, eine **Mautgebühr** (*Congestion Charge*) von 10 £ pro Tag erhoben wird. **Zahlen** kann man die Gebühr täglich oder wöchentlich in bestimmten **Geschäften, Tankstellen**, an **Automaten** größerer Parkplätze, die das Congestion-Charge-Symbol zeigen, oder bis zu 90 Tage vor der Ankunft über die **Website** www.cclondon.com. **Telefonisch** kann man auch mit Master- und Visacard unter Tel. 76499122 zahlen und sich die Belegnummer als Zahlungsbeweis notieren. Wer den happigen Obolus nicht entrichtet, riskiert ein **Bußgeld** in Höhe von 100 £.

⌃ In der Innenstadt müssen Autofahrer Mautgebühr bezahlen

Informationen zu **Parkplätzen** innerhalb der „C"-Zone findet man online unter http://en.parkopedia. co.uk/parking/london. Wer die Congestion Charge ganz umgehen möchte, sollte sein Auto außerhalb des inneren Rings parken. **In der Nähe aller größeren U-Bahn-Stationen** gibt es Parkplätze und Parkhäuser, wo man sein Auto sicher und relativ preiswert parken kann. Man kauft sich dann am besten eine Travelcard (s. S. 126), die den ganzen Tag zur Fahrt mit den öffentlichen Verkehrsmitteln berechtigt. Diese Variante ist zwar auch nicht kostenfrei, man erspart sich aber den Stress des Londoner Innenstadtverkehrs und kann ganz entspannt auf seine Besichtigungstour gehen. Und nicht vergessen: In Großbritannien herrscht **Linksverkehr!**

Barrierefreies Reisen

Alle Londoner **Stadtbusse** sind auf Rollstuhlfahrer eingerichtet und haben ausfahrbare Rampen. Sämtliche Stationen der **Docklands Light Railway** sind ebenfalls behindertengerecht ausgerüstet. Bei der **Tube**, der U-Bahn, sieht die Sache leider anders aus. Noch nicht mal ein Drittel aller Stationen ist für Rollstuhlfahrer benutzbar. Lediglich die Haltestellen, die in den letzten zehn Jahren umfassend renoviert oder neu angelegt wurden, haben behindertengerechte Einrichtungen: Diese Stationen sind auf den Tube-Plänen mit dem **Rollstuhlsymbol** gekennzeichnet. Als **Faustregel** gilt, dass Sehenswürdigkeiten, die in der Nähe eine Tube-Station haben, auch von Bussen angefahren werden.

Als Rollstuhlfahrer sollte man auch bedenken, dass die **Türen der Tube** gnadenlos **schnell schließen.** In den Gängen und auf den Bahnsteigen herrscht oft Gedränge und zu Stoßzeiten sind die Waggons voll.

Für **Besucher mit Sehbehinderung** wird im Straßenverkehr und in den **öffentlichen Verkehrsmitteln** ebenfalls Hilfestellung angeboten. **Ampeln** haben Tonsignale, im Bus sowie an vielen anderen Stellen sind Hinweise und Bedienungsknöpfe mit **Blindenschrift** versehen und in vielen Museen werden zu bestimmten Terminen **Audioführungen** veranstaltet.

Das **Royal National Institute of Blind** (Tel. 0303 1239999, Mo–Fr 8.45–17.30 Uhr, www.rnib.org.uk) listet auf seiner Website hilfreiche Tipps und Adressen. Bei Fragen kann man die Organisation auch per Telefon und E-Mail kontaktieren. Weitere Hinweise findet man auf der Website von **Visit London** unter www.visitlondon. com. Die Organisation **Inclusive London** (www.inclusivelondon.com) bietet eine I-Phone-App zum Download an, die über die **Barrierefreiheit** von Sehenswürdigkeiten, Restaurants, Toiletten, Geschäften usw. informiert. Die folgenden Publikationen und Informationsstellen geben ebenfalls Auskunft, wie man Britanniens Metropole barrierefrei kennenlernen kann.

> Auf der Website von **Transport for London** kann man sich Informationen über Möglichkeiten des barrierefreien Reisens („Accessibility") in der U-Bahn herunterladen: www.tfl.gov.uk/gettingaround/ transportaccessibility/1167.aspx. Man kann auch vor der Reise Hilfestellung durch das Tube-Personal beantragen.

> Unter Tel. 73882227 oder auf der Website www.artsline.org.uk gibt die Organisation **Artsline** Auskünfte über Kinos und Theater, die auch von Rollstuhlfahrern besucht werden können.

> **Access in London** (www.accessinlondon. org) bietet auf seiner Website vielseitige

Informationen, die für barrierfreies Reisen in London wichtig sind.

❯ Auch die **Royal Association for Disability and Rehabilitation (RADAR),** 12 City Forum, 250 City Road, London EC 1, Tel. 72503222, www.radar.org.uk, bietet umfangreiche Informationen zu allen Aspekten des Lebens und Reisens.

❯ Bei **Tourism for all UK,** c/o Vitalise, Shap Road Industrial Estate, Shap Road, Kendal, Cumbria LA9 6NZ, Tel. 01539 735567, www.tourismforall.org.uk, erhält man eine Auflistung von behindertengerechten Hotels und kann auch Buchungen vornehmen.

Diplomatische Vertretungen

Die diplomatischen Vertretungen Deutschlands, Österreichs und der Schweiz findet man in London unter folgenden Adressen:

❯ **Deutsche Botschaft,** 23 Belgrave Square, London SW1X 8PZ, Tel. 78241300, www.london.diplo.de

❯ **Österreichische Botschaft,** 18 Belgrave Mews West, London SW1X 8HU, Tel. 73443250, www.bmeia.gv.at/botschaft/london.html

❯ **Schweizer Botschaft,** 16–18 Montagu Place, London W1H 2BQ, Tel. 76166000, www.eda.admin.ch/london

❯ Auf der Website des **British Foreign & Commonwealth Office** (www.gov.uk/government/publications/foreign-embassies-in-the-uk) findet man unter „Foreign Embassies in the UK" die **weiteren Botschaftsadressen** in London zum Download.

⌃ *Stahlbaukunst verschiedener Epochen*

Elektrizität

In Großbritannien fließt die gleiche Stromstärke wie auch in Deutschland, Österreich und der Schweiz durch die Leitungen. Allerdings benötigt man einen **Adapter,** um Stecker an die englische Steckdose anschließen zu können. Man bekommt sie in deutschen Elektroläden und manchen Flughafengeschäften. In England selbst gibt es oft nur die umgekehrte Variante (von englischen auf deutsche Steckdosen), die für deutsche Besucher wenig nützlich ist.

Im Bad befindet sich häufig eine Steckdose, in die unsere heimischen Flachstecker hineinpassen, diese sind allerdings nur für einen Rasierapparat geeignet, ein Haarfön oder andere Geräte lassen sich damit nicht betreiben. Die Stromstärke reicht aber aus, um das Handy aufzuladen.

London preiswert

*Bei London handelt es sich um ein eher teures Pflaster. Wenn man nicht aufpasst oder es sich leisten kann, kann man hier eine ganze Menge Geld „loswerden". Doch auch in der britischen Metropole gibt es einige Dinge, die man preisgünstig erleben kann. So fahren beispielsweise die **Buslinien** 6, 9, 15, 88 und 159 an fast allen Sehenswürdigkeiten vorbei und man bekommt auf preiswerte Art eine **Stadtrundfahrt** – wenn auch ohne Erläuterungen.*

*   **Staatliche Museen** wie British Museum, Tate Modern oder National Gallery erheben keinen Eintrittspreis.*

*   Sollte man andere Sehenswürdigkeiten besuchen wollen, lohnt sich der Kauf eines **London Passes,** mit dem man Eintritt zu über 50 Sehenswürdigkeiten erhält. Der Pass kostet für Erwachsene/Kinder für sechs Tage 102/72£, drei Tage 77/53£, zwei Tage 64/47£ und für einen Tag 47/30£. Der London Pass ist auch als **Kombi-Ticket** für den öffentlichen Nahverkehr (Tube, Bus, DLR) erhältlich und kostet dann für sechs Tage 156/99£, für drei Tage 104/63£, für zwei Tage 82/53£ und für einen Tag 56/34£. Die Kombi-Variante ist nur im Internet erhältlich, die normale Ausgabe kann man auch vor Ort in allen Reiseinformationszentren in den großen Bahnhöfen oder U-Bahn-Stationen kaufen. Weitere Informationen findet man unter www.londonpass.com.*

Geldfragen

Das **Englische Pfund** („Pound", abgekürzt £, derzeit 1,18 €/1,47 SFr, Stand: Mai 2013) hat 100 Pence (kurz als „p" bezeichnet). Alle Münzen und Scheine tragen das Bild der Queen.

   Die preiswerteste Art der Geldbeschaffung ist eine **Barabhebung** mit der **EC- bzw. Maestro-Karte.** Das ist auch in London problemlos an Geldautomaten (ATM) mit dem Maestro-Logo möglich. Von Barabhebungen per **Kreditkarte** ist abzuraten, weil dabei bis zu 5,5 % an Gebühr fällig werden. Das bargeldlose Zahlen ist in England weitverbreitet. Hohe Akzeptanz genießen Visacard, Mastercard, American Express und Diners Club. American Express hat Bargeldautomaten am Flughafen und auf allen wichtigen Bahnhöfen. Ohne Kreditkarte zur Kautionshinterlegung kann man bei den meisten internationalen **Autovermietungen** kein Fahrzeug bekommen und auch bei **Onlinebuchungen** (z. B. von Hotels) sind Kreditkarten heute meist vonnöten (PIN-Nummer bereithalten). Der Kreditkartenaussteller berechnet bei bargeldloser Zahlung eine Gebühr für den Auslandseinsatz (ca. 1–2 %).

   Wer dennoch lieber **Reiseschecks** verwendet, kann sie ohne Probleme in allen Banken eintauschen, Gleiches gilt für das **Wechseln von Bargeld.** Die **Öffnungszeiten der Banken** liegen werktags zwischen 9.30 und 17.30 Uhr. Nur große Filialen haben auch am Samstagmorgen geöffnet. An touristisch interessanten Punkten sowie in Gegenden, in denen es viele Hotels gibt, findet man auch eine Reihe von rund um die Uhr geöffneten **Wechselstuben,** hier sind aber die Kurse schlechter und man hat außerdem eine Gebühr (bis zu 5 %) zu zahlen.

Informationsquellen

Infostellen zu Hause

Britische Botschaften
> **Deutschland:** Wilhelmstr. 70–71, 10117 Berlin, www.gov.uk/government/world/germany.de, Tel. 030 204570, Mo–Fr 9–17.30 Uhr
> **Österreich:** Jaurèsgasse 12, 1030 Wien, Tel. 01 716136161, www.gov.uk/government/world/austria.de, Mo–Fr 9.15–12.30 und 14–15.45 Uhr
> **Schweiz:** Thunstr. 50, 3005 Bern, Tel. 031 3597700, www.gov.uk/government/world/switzerland, Mo–Fr 8–12.30 und 13.30–17 Uhr

Fremdenverkehrsämter
Auf den Websites **www.visitbritain.com** bzw. **www.visitlondon.com** hat man die Möglichkeit, sich bereits von zu Hause aus über Land und Leute zu informieren und seinen Urlaub zu planen, ein Hotelzimmer zu buchen oder ein Ticket für die Tube zu kaufen.

Wer in Großbritannien studieren oder arbeiten möchte, kann den **British Council**, Großbritanniens Organisation für Kulturbeziehungen, kontaktieren. Die Adressen der zuständigen Filialen vor Ort finden sich online unter www.britishcouncil.de („Über uns"). Auf der Website erhält man auch allgemeine Informationen über Großbritannien.

Infostellen in der Stadt

Touristeninformation
❶158 [M13] **London Information Centre,** Leicester Square (in der Half Price Ticket Booth), Tel. 020 72922333, www.londoninformationcentre.com. Hier kümmern sich 20 mehrsprachige Mitarbeiter täglich von 8 bis 24 Uhr darum, dem Besucher ein möglichst preiswer-

☑ *Hier bekommt man Theatertickets für den aktuellen Tag zum halben Preis (s. S. 110)*

086ln Abb.: nh

tes Quartier zu besorgen und helfen bei Buchungen, Ticketverkäufen und der Planung von Stadttouren.

> Büros der **London Tourist Information** gibt es in den Bahnhöfen Liverpool Station, Victoria und King's Cross sowie in der City of London (St. Pauls Churchyard) und in Greenwich. Ein Reisezentrum gibt es in der U-Bahn-Haltestelle Picadilly Station. Infos: www.visitlondon.com/tag/tourist-information-centre.

Veranstaltungs- und Kartenservice

Außer bei den Touristeninformationen kann man Karten auch an den **Box Offices** der Theater bekommen. Auf dem Leicester Square ❾ befindet sich außerdem die **TKTS Half Price Ticket Booth** (www.tkts.co.uk/leicester-square), die Mo bis Sa von 9 bis 19 Uhr und So 10.30 bis 16.30 Uhr Theatertickets für den selben Abend zum halben Preis verkauft (zuzüglich 2 £ Bearbeitungsgebühr) und immer von schlangestehenden Besuchern umrahmt ist.

Man kann seine Tickets aber auch schon **vor der Reise** buchen:
> www.london-musical-karten.de oder www.westendtickets.de

Fundbüros (Lost Property)

Falls man etwas am **Flughafen** vergisst, helfen einem folgende Telefonnummern weiter:
> Gatwick Airport, Tel. 01293 503162
> Heathrow Airport, Tel. 87457727
> London City Airport, Tel. 7646000
> Luton Airport, Tel. 01582 395219
> Stansted Airport, Tel. 01279 663293

Wer im Londoner **Nahverkehr** Gegenstände verliert, findet auf der Website von Transport for London (www.tfl.gov.uk/lostproperty) Hilfe. Hier gibt es auch ein E-Mail-Formular, das man ausfüllen kann. Es kann dann allerdings bis zu 10 Tagen dauern, bis man von dort hört.

> **Lost Property Office,** 200 Baker Street, Tel. 0845 3309882, Mo–Fr 8.30–16 Uhr.
> **Funde in Straßenbahnen:** Tramlink Shop, Unit 5, Suffolk House, George Street, Croydon, Tel. 86818300, Mo–Fr 9–17 Uhr.
> **Funde in Themsebooten:** Tfl Piers, river@tfl.gov.uk, oder direkt beim Veranstalter

London im Internet

> **www.london.gov.uk:** Die offizielle Webseite der Stadt London.
> **http://www.visitlondon.com/de:** Auf Deutsch verfügbare Website, die von Sehenswürdigkeiten, Unterhaltung und Restaurants bis zu Informationen für Schwule und Leben vieles bietet.
> **www.london.de:** Ebenfalls deutschsprachig, hier kann man Tickets aller Art bestellen.
> **www.londonheute.com:** Deutschsprachige Webseite mit Informationen zu Anreise, Unterkunft, Freizeit, Kultur, Gastronomie und Einkaufen, die von deutschsprachigen Londonern unterhalten wird.
> **www.tfl.gov.uk:** Die Website von London Transport informiert über die öffentlichen Verkehrsmittel der Stadt.
> **www.londontown.com:** Kommerzielle, englischsprachige Seite mit vielen direkten Buchungsmöglichkeiten und Angeboten sowie Livechats mit London-Kennern.

Publikationen und Medien

Landkarten und Stadtpläne bekommt man in allen Buchgeschäften und bei der Touristeninformation.

Das **Stadtmagazin Time Out**, das jeden Dienstag erscheint, ist bei allen mobilen Zeitungshändlern in den

Unsere Literaturtipps

*Ein Muss für den ambitionierten London-Besucher ist der Band des englischen Kultautors Peter Ackroyd „London – Die Biographie", in der die Stadt wie ein **lebender Organismus** beschrieben wird.*

*Wer tiefer in die **Geschichte der Metropole** eintauchen möchte, der sollte zur „The London Encyclopaedia" von Weinreb und Hibbert greifen, in der alle nur denkbaren Stichwörter lexikalisch aufgelistet und ausführlich beschrieben werden.*

*In dem Band „1999" findet Martin Amis, Sohn des bekannten Schriftstellers Kingsley Amis, sein Thema in der **Furcht** der Londoner Mittelschicht **vor dem drohenden wirtschaftlichen Absturz.** Hier glimmt die Thatcher-Ära noch nach.*

*In dem schon 1959 erschienenen Roman „Absolute Beginners" beschreibt Colin MacInnes wortstark die **jugendliche Subkultur in den 1950er-Jahren** des Nachkriegs-Englands.*

*Zadie Smiths Debütroman „Zähne zeigen" erzählt von drei nicht in die Gesellschaft integrierten **Einwandererfamilien** im Norden Londons und zeigt die unterschiedlichen Kulturen auf, die hier aufeinanderprallen.*

*Ein ähnliches Thema greift Hanif Kureishi mit dem Buch „Dem Buddha aus der Vorstadt" auf, das die Hoffnungen und Sehnsüchte einer Gruppe **asiatischer Migranten** in London zum Thema hat.*

*Auch „Brick Lane" von Monica Ali beschreibt das Schicksal einer ausländischen Frau in London: Es handelt von dem Lebensweg der Nazneen, einer **Muslima aus Bangladesch.***

*Sehr komisch kommt Nick Hornbys Roman „High Fidelity" daher, der die Kultur der **Generation der Mittdreißiger** beleuchtet, in der sich die Existenz auf die Frage reduziert, ob man mit jemandem zusammenleben kann, dessen Plattensammlung nicht zur eigenen passt.*

***Virginia Woolfs** „Mrs. Dalloway" beobachtet mit großer Schärfe das Leben mehrerer Personen an einem Tag im London des Jahres 1923.*

***Daniel Defoe** schildert uns in „Die Pest zu London" die gewaltige Epidemie von 1665 und lässt den Leser am Grauen der unbekannten Krankheit fesselnd teilhaben.*

*1903 publizierte **Jack London** seine eigenen Erfahrungen in den Armutsvierteln der Stadt, wo er sich unter die Leute gemischt und ihren prekären Alltag geteilt hatte, unter dem Titel „Die Stadt der Verdammten".*

*Die Literaturnobelpreisträgerin **Doris Lessing** beobachtet in „Der Preis der Wahrheit" in 18 Kurzgeschichten die Stadt und ihre Bewohner.*

*Viele Romane von **Charles Dickens** versprühen die Atmosphäre des viktorianischen Londons. „Oliver Twist", „The Old Curiosity Shop" und „Little Dorrit" verdeutlichen das Leben im Schuldnergefängnis und zeigen dem Leser die dunklen Ecken und Gassen Southwarks, des East Ends und der Docks.*

*Jake Arnotts „Der große Schwindel" spielt im **Soho** der 1960er-Jahre und ist hart, rasant und humorvoll.*

*Graham Greenes „Das Ende einer Affäre" spielt Ende des Zweiten Weltkriegs im **kriegsverwüsteten London** und zeigt die Nöte der Menschen auf.*

Straßen und vor den U-Bahn-Stationen sowie in Zeitungsgeschäften *(Newsagents)* erhältlich. Eine Onlineausgabe des Magazins findet man auf der Internetseite www.time out.com/london.

Deutsche Zeitungen wie FAZ, Süddeutsche oder Magazine wie Spiegel und Stern bekommt man ebenfalls bei fast allen *Newsagents* sowie bei der übermächtigen Zeitungskette W. H. Smith in sämtlichen Bahnhöfen.

Internetcafés

In der Innenstadt von London gibt es nur noch wenige Internetcafes, da die meisten Reisenden ihr eigenes Smartphone oder Tablet benutzen. In vielen öffentlichen Einrichtungen, Cafés und Restaurants wird kostenloses **WLAN** angeboten. Informationen über Internetcafés im stadtnahen Bereich findet man z. B. auf der Website **www.visitlondon.com.**

@**159** [I12] **Reload Internet,** 197 Praed Street, Paddington, U-Bahn Paddington, Tel. 72624113, Mo–Sa 8–22, So 10–22 Uhr. Hier wird ein kompletter Onlineservice angeboten, außer im Internet surfen kann man Faxe schicken und Telefonkarten kaufen.

Maße und Gewichte

Mit Ausnahme der Meile (1,61 km) und des Hohlmaßes Pint (0,57 l) gelten in Großbritannien die gleichen Maß- und Gewichtsangaben wie hierzulande auch.

▷ *Ein Besuch von Buckingham Palace* ⑳ *ist nicht nur für Erwachsene spannend*

Konfektionsgrößen D – GB

Damen		Herren	
36	10	46	36
38	12	48	38
40	14	50	40
42	16	52	42
44	18	54	44
46	20	56	46
48	22		
50	24		

Schuhe	
36	3–3,5
37	4–4,5
38	5–5,5
39	5,5–6
40	6,5–7
41	7–7,5
42	7,5–8
43	8,5–9
44	9,5–10
45	10–10,5
46	11–11,5

Medizinische Versorgung

Der in den letzten Jahren auf wesentlich besserem Niveau arbeitende **National Health Service (NHS)** behandelt alle britischen Bürger sowie die Besucher aus EU-Staaten kostenlos.

Folgende **Krankenhäuser** haben einen rund um die Uhr arbeitenden Notdienst *(A&E, Accident and Emergency Service):*

✚**160** [Q13] **Guy's Hospital,** Great Maze Pond, Tel. 71887188, www.guysandstthomas.nhs.uk, U-Bahn London Bridge Station

✚**161** [S11] **Royal London Hospital,** Whitechapel Road, Tel. 73777000,

051ln Abb.: ws

www.bartsandthelondon.nhs.uk, U-Bahn Whitechapel

✚162 [N14] **St. Thomas Hospital,** Westminster Bridge Road, Tel. 71887188, www.guysandstthomas.nhs.uk, U-Bahn Westminster

› Bei **Zahnschmerzen** wendet man sich an den Dental Emergency Care Service im Guy's Hospital, 17.–28. Stock, Tower Wing, Tel. 71888006

Mit Kindern unterwegs

Kinder und Erwachsene haben naturgemäß unterschiedliche Vorstellungen von einer Besichtigungstour, doch London bietet auch für den Nachwuchs etliche Attraktionen.

Eine 30-minütige Rundfahrt mit dem **Riesenrad London Eye** ㉟ ist für Kinder auf jeden Fall interessant, das Gleiche gilt für einen Besuch des direkt nebenan gelegenen **London Aquarium** ㉞. Auf der **Golden Hinde** ㊸, mit der Sir Francis Drake die Welt umsegelte, können Kinder das Leben der Piraten nachspielen und ein Besuch in dem weltberühmten Wachsfigurenkabinett **Madame Tussaud's** ㉓ ist sowieso ein Muss.

Bei einem Besuch auf einem ausgedienten Kriegsschiff aus dem Zweiten Weltkrieg, der **HMS Belfast** ㉗, kann man alle sieben Decks genau unter die Lupe nehmen und im **Tower** ㉝ und dem **Museum of London** (54) bekommt man einen spannenden Einblick in die Stadtgeschichte.

In **Covent Garden** ⑩ sorgen Akrobaten, Feuerschlucker und Musiker für Unterhaltung beim Lunch in den Cafés. Hier befindet sich auch das **London Transport Museum** (s. S. 37), wo man historische und moderne Transportmittel erkunden kann.

In Kensington lockt das **Natural History Museum** (68) mit Saurierskeletten und im **Science Museum** (67) können Kinder und Jugendliche interaktiv etwas über Schwerkraft, Raketenbau etc. lernen.

Eine **Bootsfahrt nach Greenwich** ist auch für Kinder spannend und in Greenwich selbst vermitteln die **Cutty Sark** (86), das National **Maritime**

Museum **88** und das **Royal Observatory 89** mit dem Planetarium Seefahrerromantik. Von **Little Venice 91** aus führt eine weitere Bootsfahrt im Narrow Boat über den Regent's Kanal, dabei schippert man dann auch durch das Areal des **London Zoo 25**.

Ein Theaterbesuch empfiehlt sich vor allem in den **Puppentheatern.** In Little Venice ist die **Puppet Theatre Barge** gleich auf einem der Boote untergebracht, in Islington lohnt ein Besuch des **Little Angel Puppet Theatre** mit einfallsreichen, selbstgefertigten Puppen. Für etwas ältere Kinder ist sicher auch der Besuch eines **Musicals** wie „The Lion King" interessant.

Zu den neusten Attraktionen Londons gehört das von Warner Bros. in den Leavesden Studios eingerichtete **„Making of Harry Potter".** Hier wurden Filmkulissen, Kostüme etc. publikumswirksam in Szene gesetzt.

❯ **The Making of Harry Potter,** Studio Tour Drive, Leavesden, Tel. 08450 840900, www.wbstudiotour.co.uk, Anfahrt per Bahn von Euston nach Watford Junction, von dort mit dem Shuttlebus, Eintritt: Erw. 29 £, Kinder 21,50 £.

↻**163** [O8] **Little Angel Theatre,** 14 Dagmar Passage, U-Bahn Angel, Tel. 72261787, www.littleangeltheatre.com, Kartenverkauf Mo–Fr 10–18, Sa 10–16 Uhr. Londons einziges permanent bespieltes Puppentheater.

↻**164** [H11] **Puppet Theatre Barge,** gegenüber 35 Blomfield Road, U-Bahn Warwick Avenue, Tel. 72496876, www. puppetbarge.com, Kartenverkauf 9–21 Uhr, Aufführungen Sa/So, in den Ferien täglich. Puppentheater in einem alten Kanalschiff in Little Venice.

▷ *In den Fahrrad-Depots warten bequeme Citybikes auf Benutzer*

Notfälle

Sämtliche Hilfseinrichtungen wie z. B. Polizei, Krankenwagen und Feuerwehr sind über die **zentrale Notrufnummer 999** erreichbar.

Bei **Verlust der Kredit- bzw. Debitkarte** gibt es für Kartensperrungen eine **deutsche Zentralnummer** (bitte vor der Reise klären, ob die eigene Bank diesem Notrufsystem angeschlossen ist). **Österreicher** und **Schweizer** sollten sich vor der Abreise bei ihrem Kreditinstitut über den zuständigen Sperrnotruf informieren.

Generell sollte man sich immer die **wichtigsten Daten** wie Kartennummer und Ausstellungsdatum **separat notieren,** da diese unter Umständen abgefragt werden.

❯ **Deutscher Sperrnotruf:** Tel. +49 116116 oder Tel. +49 3040504050
❯ **Weitere Infos:** www.kartensicherheit.de, www.sperr-notruf.de

Informationen über alle **Polizeidienststellen** findet man unter www.cityof london.police.uk. Bei **Notfällen** wählt man in ganz Großbritannien **Tel. 999,** bei generellen Anfragen oder Meldungen Tel. 101.

❯ **Charing Cross Police Station,** Agar Street, U-Bahn Covent Garden
❯ **Chelsea Police Station,** 2 Lucan Place, U-Bahn Sloane Square
❯ **Kensington Police Station,** 72 Earl's Court Road, U-Bahn High Street Kensington

Öffnungszeiten

❯ **Ämter und Firmen:** Mo–Fr 9–17 Uhr
❯ **Banken:** Mo–Fr 9–17.30 Uhr
❯ **Geschäfte:** Mo–Sa 10–18 Uhr oder länger nach eigener Wahl, So nach eigener Wahl zwischen 10 und 17 Uhr.

Große Kaufhäuser und Lebensmittelläden haben oft auch bis 22 Uhr geöffnet.
> **Museen:** in der Regel 10–17 oder 18 Uhr, einmal die Woche länger
> **Post:** Mo–Fr 9–17.30, Sa 9–12 Uhr
> **Pubs:** generell 11–23 Uhr, So bis 22.30 Uhr. Wirte mit einer gesonderten Lizenz können ihre Kneipen auch bedeutend länger geöffnet haben.
> **Restaurants:** Mo–Fr 12/12.30–14.30/15 Uhr und 19/19.30–23/24 Uhr, Sa/So 18/19–23/24 Uhr

Post

Briefmarken bekommt man nicht nur bei allen Postämtern, sondern auch in den Zeitschriftenläden *(Newsagents)* sowie in vielen Supermärkten.
> Als **Hauptpostamt** der Metropole mit den längsten Öffnungszeiten gilt das **Trafalgar Square Post Office,** 24 William IV. Street, Mo–Fr 8.30–18.30 Uhr, Sa 9–17.30 Uhr. Alle anderen Postfilialen haben Mo–Fr 9–17.30 Uhr und Sa 9–12 Uhr geöffnet.
> Für generelle Postauskünfte siehe www.postoffice.co.uk

Radfahren

An allen wichtigen Sehenswürdigkeiten, Bahnhöfen, großen U-Bahn-Stationen oder anderen wichtigen Knotenpunkten in der Stadt befinden sich **Fahrrad-Depots** der sogenannten **Boris Bikes,** die so heißen, weil sie von Bürgermeister Boris Johnson eingeführt wurden. Hier kann man sich für wenig Geld einen Drahtesel für wenige Minuten, mehrere Stunden oder einen ganzen Tag leihen. Die geliehenen Räder müssen wieder in ein „Depot" eingestellt werden, man kann sie also nicht einfach irgendwo stehen

lassen. Um den Service zu nutzen, muss man sich unter www.tfl.gov.uk/roadusers/cycling/11598.aspx registrieren lassen.

Bei Transport for London bekommt man **Fahrradkarten** der Stadt.
> Transport for London: www.tfl.gov.uk
> London Cycle Network: www.londoncyclenetwork.org.uk
> London Cycling Campaign: www.lcc.org.uk

Fahrradvermietung und -touren

Die London Bicycle Tour Company, 1a Gabriel's Wharf, 56 Upper Ground, South Bank, www.londonbicycle.com, Tel. 33183088, U-Bahn Southwark, Blackfriars, Waterloo, vermietet Fahrräder und bietet Sa/So **geführte Radtouren** an.

Schwule und Lesben

Das Stadtmagazin **Time Out** bietet einen **Gay & Lesbian London Guide**, der im Buchhandel verkauft wird und auch online abgerufen werden kann: www.timeout.com/london/lgbt. Ende März/Anfang April veranstaltet das British Film Institute das **London Gay and Lesbian Film Festival** (www.bfi.org.uk/llgff) und im Sommer findet jedes Jahr die **Pride London Parade** statt (http://pridelondon.ca). Eine große Ansammlung von **Klubs** und **Cafés** für Schwule und Lesben findet man rund um die **Old Compton Street** [M12] in Soho. Weitere Zentren sind in **Vauxhall** am südwestlichen Themseufer und im **East End**, z. B. in Hackney.

❯ **London Friend**, www.londonfriend.org.uk, Tel. 78331674. London Friend ist eine bereits seit vielen Jahren bestehende Organisation, in der Freiwillige sich um alle Belange von Homo-, Trans- und Bisexuellen kümmern.

⊕**165** [N16] **Area,** 67–68 Albert Embankment, www.arealondon.net, Tel. 32420040, U-Bahn Vauxhall. In diesem Klub für Schwule und Lesben, der sich über zwei Stockwerke erstreckt, legen bekannte DJs auf.

⊕**166** [M13] **Heaven,** Under The Arches, Villiers Street, Tel. 79302020, www.heavennightclub-london.com, U-Bahn Charing Cross. Das Heaven besteht seit einer Ewigkeit und ist der berühmteste Klub für die Schwulen- und Lesbengemeinde der Metropole. Der Klub veranstaltet von Do bis Sa die legendäre G-A-Y Night.

⊕**167** [N16] **Barcode,** 3 Archer Street, Soho, Tel. 77343342, www.bar-code.co.uk, U-Bahn Piccadilly oder Leicester Square. Bei den Pubs kann man das Barcode hervorheben. Der Pub bietet über zwei Stockwerke viele Kommunikationsmöglichkeiten und unten auch eine Tanzfläche. Dienstagabends gibt es unter dem Namen Comedy Camp ein sehr beliebtes Kabarettprogramm.

⊕**168** [L12] **Candy Bar,** 4 Carlisle Street, Soho, Tel. 74944041, www.candybarsoho.com, U-Bahn Tottenham Court Road. Die Candy Bar ist ein Refugium für Lesben jeden Alters.

Sicherheit

Eine Weltmetropole wie London hat natürlich mit dem gesamten kriminalistischen Spektrum zu kämpfen. **Touristen** werden hiervon jedoch kaum etwas merken, denn sofern man sich nicht in ausgesprochenes „Gangland" in Vierteln wie Lewisham oder Peckham begibt, ist im alltäglichen Leben davon nichts offensichtlich.

Wie überall auf der Welt gibt es im Londoner Straßengewühl die Gefahr des **Taschendiebstahls.** Man sollte also im Gedränge Handtasche, Geldbörse oder Kamera nicht unbeaufsichtigt lassen. Ansonsten gelten die üblichen Vorsichtsmaßnahmen: Wenn Sie in Köln nicht nach 23 Uhr durch den Park spazieren, werden Sie dies auch in London nicht tun, und wenn Sie in München nachts nicht in einen leeren U-Bahn-Wagen einsteigen, so sicher auch nicht in London.

Seit dem **Anschlag** durch Islamisten **auf die Londoner U-Bahn** am 7. Juli 2005, der 52 Menschenleben kostete, hat man die Sicherheitsmaßnahmen in der Stadt verschärft. In der U-Bahn wird man z. B. ständig darauf hingewiesen, auf unbeaufsichtigte Pakete zu achten oder ungewöhnliche Ereignisse dem Bahnpersonal zu melden etc.

Generell gilt: Es gibt im Londoner Innenstadtbezirk **keine sogenannten „No-go-Areas".** Lassen Sie keine

Handtaschen, Rucksäcke, Aktenkoffer oder Kleidungsstücke unbeaufsichtigt und legen Sie sie auch nicht außer Sichtweite. Nehmen Sie vor allem nachts keine Abkürzungen durch Parks, kleine dunkle Straßen, Parkhäuser etc.

Londoner **Polizisten** legen gegenüber ausländischen Besuchern eine ausgesuchte Höflichkeit und große Hilfsbereitschaft an den Tag. Wer dennoch eine Beschwerde hat, sollte sich die **Identifizierungsnummer** des Polizisten an der Schulter-Epaulette notieren und dann die Independent Police Complaint Commission, 90 High Holborn, London WC1 V6BH, Tel. 0300 0200096, www.ipcc.gov.uk, kontaktieren.

Sprache

Als Besucher kommt man mit seinem Schulenglisch in London gut zurecht. An den Rezeptionen der Hotels sprechen viele Mitarbeiter außerdem deutsch und französisch und dasselbe gilt für die Mitarbeiter der Touristeninformationen. Im Anhang dieses Führers gibt es zusätzlich eine kleine Sprachhilfe Deutsch–Englisch und der Sprechführer „Kauderwelsch Englisch – Wort für Wort" aus dem REISE KNOW-HOW Verlag vermittelt schnell und einfach Grundkenntnisse.

Stadttouren

Guided Walks

Thematische Stadtführungen, z. B. zu Jack the Ripper, den Beatles oder zu verschiedenen Aspekten der Stadtgeschichte, werden von verschiedenen Firmen angeboten. Für die Guided Walks von **London Walks** ist eine

⌃ Sicherheit wird in London großgeschrieben

Stadttouren

Buchung im Voraus nicht notwendig: Man trifft sich einfach zur angegebenen Zeit vor einer bestimmten U-Bahn-Station, zahlt seinen Obolus und wird von kompetenten Führern durch bestimmte Bereiche der Stadt geleitet (allerdings nur in englischer Sprache).

❯ **London Walks,** Tel. 76243978, www.walks.com
❯ **Secret London Walks,** Tel. 88812933, www.secretlondonwalks.co.uk
❯ **London Walking Tours,** Tel. 85308443, www.london-walking-tours.co.uk
❯ **Sandemans New London Tours,** Tel. 0049 (0)30 510500 (Berlin), www.newlondon-tours.com

Von Anfang März bis Ende Oktober bietet **London Tours auf Deutsch** (www.londontoursaufdeutsch.com, Tel. 74874736) von Freitag bis Sonntag unterschiedliche, geführte Touren in deutscher Sprache an (Erwachsene 17 £/Kinder 8 £). Die ca. zweistündigen Spaziergänge beinhalten auch immer den Besuch eines Museums, einer Galerie oder auch eines Pubs. Eine Voranmeldung ist zu empfehlen.

Im Standardangebot sind zwei Touren, die aber nur für London-Anfänger wirklich zu empfehlen sind. Wer eine individuellere Führung wünscht, zahlt für drei Stunden 150 £.

❯ **Westminster–Whitehall–St. James's Tour,** So 10.30 Uhr, U-Bahn Green Park, Exit Piccadilly South

Stadtrundfahrten

Es gibt ein kaum überschaubares Angebot an Stadtrundfahrten durch London. In der Zeit von 10 bis 17 Uhr fahren z. B. an folgenden Straßen und Plätzen **Sightseeingbusse** im regelmäßigen Turnus ab: Trafalgar Square, Piccadilly Circus, Westminster Abbey, Russell Square und Whitehall. Man bekommt einen Kopfhörer, den man neben seinem Sitz einstöpseln kann, und wählt an einem Dreh-

△ *Bequemes Sightseeing – mit dem Bus durch London*

schalter die gewünschte Sprache. Die Tickets sind einen ganzen Tag lang gültig, sodass man die Rundfahrt auch beliebig unterbrechen kann, um eine der Sehenswürdigkeiten genauer unter die Lupe zu nehmen. Danach steigt man dann einfach in den nächsten Bus und fährt weiter.

Zu den **Hauptveranstaltern** bei den Hop-on-hop-off-Bussen gehören:

> **Big Bus Tours**, 48 Buckingham Palace Road, Tel. 7233 9533, www.bigbus tours.com, Erw. ab 21 £, Kinder ab 10 £
> **The Original London Sightseeing Tour**, Jews Row, Wandsworth, Tel. 88771722, www.theoriginaltour.com, Erw. 28 £, Kinder 14 £

Telefonieren

Im Londoner Stadtgebiet gibt es nur noch wenige öffentliche **Telefonzellen**, die mit Münzgeld und/oder der Kreditkarte genutzt werden können.

Das deutsche **Handy** (im Englischen *mobile phone* oder *mobile*) kann auch in England problemlos genutzt werden. Es loggt sich im Normalfall automatisch in bestehende Netze ein, man kann sich aber auch bei seiner Mobilfunkgesellschaft erkundigen, welcher Anbieter vor Ort der günstigste ist und dann dessen Netz manuell anwählen. Nicht zu vergessen sind die **passiven Kosten**, wenn man von zu Hause angerufen wird (Mailbox abstellen!). Wer vorhat, in London viel zu telefonieren und über ein **SIM-lock-freies Mobiltelefon** verfügt, kann sich auch eine **örtliche Prepaidkarte** besorgen. Man hat dann allerdings eine andere Telefonnummer.

Um **ins Ausland telefonieren** zu können, muss man 0049 (Deutschland), 0043 (Österreich), 0041 (Schweiz) und daran anschließend die gewünschte Ortsnetzkennzahl ohne die Null wählen. **Aus dem Ausland** muss man für Großbritannien 0044 eingeben und die nachfolgende 0 der Vorwahl entfällt dann ebenfalls.

Die **Londoner Vorwahl** ist 020 und muss innerhalb des Stadtgebietes von Festnetzanschlüssen aus nicht mitgewählt werden.

Uhrzeit

In Großbritannien gilt die **Greenwich Mean Time**, die unserer mitteleuropäischen Zeit um eine Stunde „hinterherhinkt", und zwar egal ob Sommer- oder Winterzeit. Die Uhrzeiten werden mit a.m. und p.m. angegeben:

> 10 a.m. = 10 Uhr morgens
> 10 p.m. = 22 Uhr abends

Unterkunft

London bietet eine große Auswahl an Unterkünften, allerdings liegen die Preise oft über der europäischen Norm. Nur wer vor der Anreise verbindlich bucht, sichert sich den günstigsten Preis.

Empfehlenswert sind preiswerte Hotelketten (**Budget Hotels**) wie Premier Inn, die einen einheitlichen Standard bieten. Am günstigsten sind Jugendherbergen (**Youth Hostels**) und Hostels, danach folgen Pensionen (**Bed and Breakfast** oder auch **Guest Houses**). Eine preiswerte Alternative, insbesondere wenn man mit der Familie oder in einer Gruppe reist, ist die Anmietung einer Ferienwohnung (**Self Catering Accommodation**).

In den **höheren Preislagen** gibt es eine große Auswahl. Neben klassischen Luxushotels wie dem Ritz oder

Hotelkategorien

Die Preiskategorien beziehen sich auf eine Nacht im Doppelzimmer für zwei Personen.

£	unter 60 £
££	60–90 £
£££	90–120 £
££££	120–200 £
£££££	über 200 £

dem Dorchester gibt es viele moderne Konkurrenten, die zeitgenössischen Luxus bieten. Die sogenannten **Boutiquehotels** befinden sich meist in Stadthäusern (**Townhouses**) und verbinden historisches Flair mit modernem Komfort.

Die Tarife für Londoner Hotels hängen von der **Reisezeit** und der **Auslastung** des Hotels ab und können stark schwanken. Manchmal unterscheiden sich sogar die Tagestarife am Freitag, Samstag und Sonntag. Um den günstigsten Tarif zu ergattern, sollte man sich online oder im Reisebüro über **Sonderangebote** informieren. Gebündelte Wochenendpakete sind meist günstiger als ein für einzelne Nächte gebuchtes Hotel. Die meisten Hotels kann man heutzutage auch online buchen und erhält gleich auf deren Webseite einen Überblick über die verfügbaren Tarife.

Bei der Auswahl des Hotels ist natürlich auch die **Lage** wichtig. Um eine

▷ *Preiswert und gute Lage:*
das Premier Inn London County Hall

lange Anfahrt ins Zentrum zu vermeiden, sollte man nur Hotels mit guter Anbindung an das U-Bahn- oder Bahnnetz buchen.

In den meisten Hotels ist WLAN kostenfrei, in manchen Designhotels muss man allerdings für das Frühstück extra bezahlen.

❭ **Nützliche Webadressen:** www.bed-breakfast.de, www.visitlondon.com, www.accommodationlondon.net, www.laterooms.com

Hotels

Design- und Boutiquehotels

🏠**169** [Q14] **Bermondsey Square Hotel** £££, Bermondsey Square, Tower Bridge Road, U-Bahn London Bridge, Tel. 73782450, www.bermondsey squarehotel.co.uk. Boutiquehotel direkt am modernen, freundlichen Bermondsey Square. Die Zimmer sind thematisch gestaltet und nach Frauen benannt, die in Rock- und Popsongs vorkommen. Wer etwas mehr ausgeben will, kann die Dachterrasse mit Whirlpool buchen.

🏠**170** [R10] **Boundary** £££££, 2–4 Boundary Street, Eingang Redchurch Street, Shoreditch, U-Bahn Shoreditch High Street, www.theboundary.co.uk, Tel. 77291051. Die Zimmer des von Terence Conran geführten Hotels sind mit Stilmerkmalen berühmter Designer ausgestattet. Das Grill-Restaurant für Lunch und Abendessen befindet sich auf einer Dachterrasse, das Frühstück nimmt man im Café Albion.

🏠**171** [Q10] **Hoxton Hotel** £££, 81 Great Eastern Street, Hoxton, U-Bahn Old Street, www.hoxtonhotels.com, Tel. 75501000. Hotel im modernen East-End-Trend mit weitläufigem Café-Restaurant im Erdgeschoss und schlichten, modernen Räumen. Wer online in den Fanklub eintritt, erhält regelmäßige Informationen über Sonderangebote.

172 [R10] **Shoreditch Rooms** £££££,
Ebor Street, Shoreditch, U-Bahn Shoreditch High Street, www.shoreditchhouse.
com/shoreditch-rooms/bedrooms.
Das Shoreditch House ist ein exklusiver
Privatklub für Reiche und Berühmte. Die
Einrichtungen wie der Swimmingpool
auf dem Dach, die Bars und Restaurants stehen jedoch für Gäste des angeschlossenen Hotels offen und schon
allein die Dachterrasse ist den Aufent-
halt hier wert.

173 [O11] **Zetter Hotel** £££, 86–88
Clerkenwell Road, Tel. 73244444,
www.thezetter.com, U-Bahn Farringdon.
Ein Boutiquehotel in einem umgebauten
Lagerhaus, dezent und modern eingerichtet – mit einem Hauch „Retroschick"
der 1970er-Jahre. Das Bistro des Hotels
wird vom Starkoch Bruno Loubet geführt.
Wer online bucht, bekommt ein Frühstück im Bistro umsonst.

Budget Hotels und Mittelklassehotels

174 [Q12] **Apex City of London** £££,
1 Seething Lane, U-Bahn Tower Hill,
Bahnhof Fenchurch Street, Tel. 0845
3650000, www.apexhotels.co.uk.
Hypermoderne Filiale einer Kette mit
guter Ausstattung und ganz in der Nähe
der Tower Bridge. Weitere Niederlassun-
gen siehe Website.

175 [L15] **Easy Hotel** £, 14 Lexham
Gardens, South Kensington, U-Bahn
Gloucester Road oder Earl's Court, www.
easyhotel.com. Hotelkette der Fluglinie
easyJet mit verschiedenen Filialen in der
Stadt. Die Zimmer sind sehr klein und
von einfachem Standard. Dafür wohnt
man in Stadtnähe und spart U-Bahn-
Kosten. Extras wie WLAN oder TV muss
man zusätzlich bezahlen.

176 [G12] **Garden Court Hotel** ££,
30 Kensington, Garden Square, Tel.
72292553, www.gardencourthotel.
co.uk, U-Bahn Bayswater oder Queens-
way. Kleines Hotel in einem historischen

Haus. Modern eingerichtete Zimmer mit
und ohne Bad, luftige Lounge mit beque-
men Ledersofas vor dem Kamin und ein
geschützter Garten.

177 [M10] **The Jenkins Hotel** £,
45 Cartwright Gardens, Bloomsbury,
U-Bahn Russell Square, www.jenkins
hotelbloomsbury.com, Tel. 73872067.
Einfaches Budget Hotel im hübschen
Bloomsbury.

178 [N14] **Premier Inn London County
Hall** ££, County Hall, Belvedere Road,
Tel. 0870 2383300, www.premierinn.
com, U-Bahn Waterloo. Die Filiale der
preiswerten Hotelkette bietet guten Komfort in unschlagbarer Lage: direkt am
Themseufer in der alten London County
Hall gegenüber den Houses of Parliament und neben dem Riesenrad London
Eye. Weitere Filialen befinden sich z. B.
in Southwark, am Leicester Square und
bei der Victoria Station.

179 [G16] **Twenty Nevern Square** ££,
Earls Court, U-Bahn Earls Court,
Tel. 75659555, www.20nevernsquare.
com. Gemütliches Boutiquehotel mit
exzellentem Standard. Schöner Ausblick
auf eine Gartenanlage.

088in Abb.: nh

Bed and Breakfast

Eine große Auswahl an Bed and Breakfasts wird von der deutschen Agentur **London Bed & Breakfast,** www.bed-breakfast.de, angeboten. Hier können Studenten oder Geschäftsleute auch Langzeitunterkünfte mieten.

☎180 [M11] **Arran House Hotel** £££, 77–79 Gower Street London, Bloomsbury, U-Bahn Goodge Street, www. arranhotel-london.com, Tel. 76362186. Dieses B&B bietet für die Lage ein sehr gutes Preis-Leistungs-Verhältnis und eine gute Frühstücksauswahl.

☎181 [I15] **Aster House** ££££, 3 Summer Place, Tel. 75815888, www.asterhouse. com, U-Bahn High Street Kensington. Das mehrfach preisgekrönte Bed & Breakfast bietet seinen Gästen geräumige, komfortable Zimmer und einen palmenbewachsenen Wintergarten für das Frühstück.

☎182 [K15] **B & B Belgravia** ££, 64 Ebury Street, Tel. 72598570, www.bb-belgravia.com, U-Bahn Victoria. Modernes, edles Bed & Breakfast im schicken Belgravia für den Liebhaber individuell gestalteter Unterkünfte. Es gibt eine kleine Gartenterrasse.

☎183 [K15] **Morgan House,** ££, 120 Ebury Street, Tel. 77302384, www.morgan house.co.uk, U-Bahn Pimlico, Victoria. Traditionelles, einfaches und alteingesessenes B&B, einige Zimmer ohne eigenes Bad.

☎184 [F12] **The Main House** ££, 6 Colville Road, Notting Hill, U-Bahn Ladbroke Grove oder Notting Hill, Tel. 72219691, www.themainhouse.co.uk, keine Einzelübernachtung möglich. B&B mit gutem Standard, liebevoll frisch und modern eingerichtet. Gute Lage im hübschen Notting Hill.

☎185 [J11] **22 York Street** ££, 22 York Street, Marylebone, U-Bahn Baker Street, www.22yorkstreet.co.uk, Tel. 72242990. Bed and Breakfast mit gutem Komfort und netten, hellen Zimmern.

Jugendherbergen und Hostels

Jugendherbergen

London hat sieben Jugendherbergen (**Youth Hostels**), für deren Benutzung man einen **internationalen Jugendherbergsausweis** der International Youth Hostel Federation (IYHF) haben muss (die Unterkunftspreise werden sonst mit 2 £ mehr berechnet). Den Ausweis (Preis 12,50 €, wenn man unter 26 Jahre ist, sonst 21 €) bekommt man in jeder Jugendherberge oder direkt beim Deutschen Jugendherbergswerk (DJH) unter www.jugendherberge.de.

Alle Jugendherbergen haben sowohl **Doppelzimmer** als auch **Schlafsäle.** Die zentrale Webseite für sämtliche englischen Youth Hostels lautet www.yha.org.uk. Dort sind auch die Londoner Filialen gelistet. Besonders empfehlenswert ist das Holland House, das sich mitten im Holland Park befindet.

☎186 [F14] **YHA London Holland Park,** Holland Walk, Tel. 0800 0191700, U-Bahn High Street Kensington, 200 Betten, ab 18 £.

Private Hostels

Für privat betriebene Hostels benötigt man keinen Jugendherbergsausweis und sie sind in der Ausstattung mit Jugendherbergen vergleichbar. Hier gibt es allerdings mehr Freiheiten und u. a. auch meist eine **24 Std. besetzte Rezeption.** Die meisten Hostels betreiben auch ein **Café-Restaurant** bzw. eine **Bar,** sodass für das leibliche Wohl und die Abendunterhaltung gesorgt ist.

⚿**187** [H14] **Astor Hyde Park Hostel,** 191 Queen's Gate, www.astorhostels. com, Tel. 75810103, South Kensington, U-Bahn Gloucester Road. DZ ab 35 £, Schlafsaal ab 12 £. Astor Hostels betreibt insgesamt vier Backpacker Hostels in London, die anderen befinden sich in Notting Hill, Bloomsbury und beim Victoria-Bahnhof. Man kann sein Zimmer in verschiedenen Währungen bezahlen.

⚿**188** [N10] **Clink 78,** 78 King's Cross Road, Tel. 0207 1839400, www.clink hostels.com. DZ ab 60 £, Schlafsaal ab 12 £. Ein unkompliziertes Hostel mit großem Frühstücksbüfett. Ein Sightseeing-Spaziergang ist im Preis inbegriffen. Eine weitere Filale ist das Clink 261 in der Gray's Road.

⚿**189** [M10] **Generator Hostel,** 37 Tavistock Place, Russell Square, Tel. 73887666, www.generatorhostels. com/en/london, Bloomsbury, U-Bahn Russell Square. Privaträume ab 24,50 £ pro Person, Schlafsaal ab 12 £. Die Privatzimmer haben Stockbetten und bieten Platz für sechs Personen. Empfehlenswert für kleine Gruppen. Es gibt auch Schlafsäle nur für Frauen. In der hauseigenen Bar wird Abendunterhaltung geboten.

Ferienwohnungen (Apartments und Self-Catering)

●**190** [M11] **Acorn of London,** 105 Gower Street, Bloomsbury, U-Bahn Russell Square, Tel. 76368325, www.acornlondon.co.uk/independent-travellers. Mitten in Bloomsbury und unweit des British Museum gelegen. Die Studioapartments sind klein, bieten aber guten Komfort (ab 97 £).

●**191** [G15] **base2stay,** 25 Courtfield Gardens, Kensington, U-Bahn High Street Kensington, Tel. 72442255, www.base2stay.com. Im Angebot sind zahlreiche Ferienwohnungen vom Einzelzimmer (ab 99 £) bis zur Luxuswohnung (ab 199 £).

●**192** [X13] **River Thames Apartment,** 43 Galleons View, 1 Stewart Street, Docklands, DLR und U-Bahn Canary Wharf, www.riverthamesapartment. co.uk, Tel. 0775 3838331. Schicker Apartmentblock in den Docklands an der Themse mit tollem Ausblick auf den Fluss. Aufgrund der Lage etwas teurer, aber der Preis pro Nacht reduziert sich, wenn man länger bleibt. Ab 117,90 £ pro Nacht.

●**193** [R14] **Think Bermondsey Street,** 151 Tower Bridge Road, Bermondsey, U-Bahn London Bridge, Tel. 34659100, www.think-apartments.com. DZ ab 90 £. Moderne Apartments mit kostenfreiem WLAN. Think Apartments hat noch weitere Apartments an anderen Orten in der Stadt.

Studentenwohnheime (Halls of Residence)

●**194** [O13] **Great Dover Street Apartments,** 165 Great Dover Street, South Bank, U-Bahn Waterloo, Tel. 0844 4721800, www.kcl.ac.uk/kcvb. Zimmervermietung in den Wohnheimen *(Halls of Residence)* des King's College London (nur im Sommer). Einzelzimmer mit Bad kann man ab 44 £ mieten, DZ ab 65 £. Weitere Unterkünfte gibt es z. B. in Hampstead.

●**195** [P13] **Bankside House,** Sumner Street, South Bank, U-Bahn Southwark, Tel. 71075750, www.lsevacations. co.uk. Zimmervermittlung der London School of Economics (LSE). Es gibt zahlreiche Unterkünfte, z. B. an der Butler's Wharf, in Covent Garden (Grosvenor House) oder am Trafalgar Square (Northumberland House). Alle Wohnungen sind modern und komfortabel, DZ ab 25 £ pro Nacht.

Camping

⚠**196 Crystal Palace Caravan Club**, Crystal Palace Parade, www.caravanclub.co.uk, Tel. 87787155. Ganzjährig geöffneter, gut ausgestatteter Camping- und Caravanpark am südlichen Rande der Metropole. Wird direkt von Bus Nr. 3 von Piccadilly und Oxford Circus angefahren.

⚠**197 Lee Valley Camping & Caravan Park**, Meridian Way, Edmonton, Bahn Ponders End, Tel. 88036900, www.visitleevalley.org.uk. Im Norden der Metropole, direkt an einem Wasserreservoir im Grünen gelegener, ruhiger Platz mit vielen Extras und Möglichkeiten für Aktivitäten.

Verhaltenstipps

Um die Londoner in der U-Bahn nicht zu verärgern, sollte man sich an die ausgeschriebenen Regeln halten: Auf der **Rolltreppe steht man rechts** und blockiert möglichst nicht die linke Seite der Treppe. So können andere Rolltreppenbenutzer, die es eilig haben, ungehindert vorbeigehen.

Da in Großbritannien **Linksverkehr** herrscht, schaut man beim Wechseln der Straße entgegen unserer Gewohnheit nach rechts und nicht nach links. Grundsätzlich gilt auch, dass man als Fußgänger **nicht bei roter Ampel die Straße überqueren** sollte, auch wenn die Londoner dies gern tun. Bus- und Taxifahrer halten unvermindert auf solche Leute zu und außerdem hat man ja möglicherweise doch nicht zuerst nach rechts geschaut.

An Bushaltestellen, Kiosken, Ticketschaltern, etc. **reihen sich die Briten ordentlich in eine Schlange (queue) ein,** tun Sie das Gleiche, denn sich vorzudrängeln, ist sehr unhöflich.

Seit Juli 2007 ist das **Rauchen** in sämtlichen öffentlichen Räumen (dazu zählt auch die Gastronomie) verboten (s. S. 23).

In englischen **Pubs** bestellt man Getränke und Essen am Bartresen. Für das Essen erhält man eine Nummer und es wird an den Tisch gebracht. Auch jede weitere Bestellung wird am Tresen vorgenommen, wobei der Wirt es gerne sieht, wenn man die leeren Gläser wieder mitbringt.

Verkehrsmittel

U-Bahn (Tube)

Die Londoner Tube ist nicht nur die **älteste U-Bahn der Welt,** sondern hat auch das **längste Streckennetz** von allen unterirdischen Verkehrsmitteln sämtlicher Kontinente. Der erste Zug der heutigen Metropolitan Line fuhr am 10. Januar 1863 und wurde noch von einer Dampflokomotive gezogen. Von der Bezeichnung „Metropolitan" leitet sich weltweit der Name „Metro" ab. In Großbritannien sprach man jedoch schon Ende des 19. Jh. von der **Underground.** Die Londoner kürzten dies zu **Tube** ab, da die halbkreisförmigen U-Bahn-Tunnel an Röhren erinnern. Außerhalb des Zentrums fährt die Bahn überirdisch, die Linien der **Docklands Light Railway (DLR)** und der **London Overground** verlaufen sogar größtenteils über der Erde.

Im Schnitt befördert die Tube an Spitzentagen bis zu 3,5 Mio. Menschen. Das U-Bahn-Netz des Innen-

▷ *Manche Rolltreppen zur Londoner Tube sind recht steil*

stadtbereichs ist in **sechs Tarifzonen** eingeteilt (darüber hinaus gibt es noch die Zonen 7, 8 und 9 für weiter außerhalb liegende Stadtteile). Die ersten Bahnen fahren ab ca. 5 Uhr morgens (sonntags einige Linien erst ab 7 Uhr), die letzten verlassen das Stadtgebiet zwischen 23.30 und 24 Uhr. Die Züge fahren **im Minutentakt**, sodass man keinen Fahrplan benötigt. Allerdings ergeben sich durch Bauarbeiten an den Linien oft Verspätungen oder Ausfälle. Genaue Auskunft über Umsteigemöglichkeiten erhält man am Ticketschalter und durch Durchsagen auf den Bahnsteigen.

An den größeren Bahnhöfen gibt es kleine **Faltpläne** mit dem U-Bahn-Netz, die man immer griffbereit haben sollte. Beim **Umsteigen** richtet man sich nicht nur nach dem Namen der U-Bahn-Linie, sondern auch nach der Fahrtrichtung bzw. der Endhaltestelle, also z. B. „Victoria, southbound, Brixton". Bei der Orientierung helfen auch die **Farben der Linien.**

Ein- und Ausgänge der U-Bahn-Stationen sind durch **automatische**

Sperren vor Schwarzfahrern geschützt. Um zum Bahnsteig zu gelangen, muss man die Travelcard in den Schlitz stecken bzw. die Oyster Card über eine gelb markierte Fläche streichen (s. S. 126). Auf die gleiche Weise verlässt man am Zielbahnhof die Station. Man muss die **Fahrkarten** also immer griffbereit halten und darf sie nicht vor dem Verlassen des Bahnhofs wegschmeißen.

In überfüllten Wagen sind manchmal **Taschendiebe** am Werk, daher sollte man auf Handtaschen oder Rucksäcke immer aufpassen.

Busse

Im innerstädtischen Bereich verkehren die berühmten **roten Doppeldeckerbusse** Mo bis Sa von ca. 6 bis 24 Uhr und So von 7.30 bis 23.30 Uhr, die exakten Zeiten sind an den meisten Bushaltestellen (*bus stop*) angeschlagen. Die U-Bahn ist zwar schneller, aber bei einer Busfahrt sieht man mehr von der Stadt. Die Linien 6, 88 und 159 führen an allen Sehenswürdigkeiten vorbei – eine preiswerte Art der **Stadtrundfahrt.** Seit dem Jahr 2012 sind auch wieder **Routemaster-Busse** unterwegs, die hinten eine offene Plattform und einen Schaffner haben. Zwei alte Routemaster-Busse verkehren auf den Strecken 9 und 15 und bieten ebenfalls eine gute Möglichkeit zum Sightseeing.

Stationsschilder mit dem Zusatz „Request" weisen den Fahrgast darauf hin, dass er beim Nahen eines Busses heftig zu **winken** hat, ansonsten hält der Fahrer nicht an. **Einzelfahrscheine** für Busse erwirbt man beim Fahrer, die Travelcard muss man nur vorzeigen, die Oyster Card wird elektronisch abgefragt.

Nachtbusse fahren im Schnitt alle 60 Minuten von verschiedenen Stationen im Zentrum (Aldwych, Barbican, Elephant and Castle, Hammersmith, Islington, King's Cross, Liverpool Street, Marble Arch, Notting Hill Gate, Piccadilly Circus, Tottenham Court Road, Victoria Station, Waterloo) zu den städtischen Randgebieten. Alle Busse kreuzen dabei grundsätzlich Trafalgar Square. Nachtbusse haben ein „N" vor der Routennummer, die Haltestellen kennzeichnen blaue und gelbe Ziffern.

Fahrkarten

Die Website des **Transport for London (TfL)** informiert ausführlich über alle Londoner Verkehrsmittel, die verschiedenen Fahrkarten und Tarife: www.tfl.gov.uk.

Der Kauf von **Einzelfahrscheinen** lohnt sich kaum. Wer sich bis zu sieben Tage im Londoner Innenstadtbereich aufhält, ist mit der **Travelcard** bestens bedient, die es an allen Bahnhöfen und den großen U-Bahn-Haltestellen zu kaufen gibt (auch am Automaten) und die in allen Verkehrsmitteln gültig ist. Die Karte kann man für 24 Std., 7 Tage oder einen Monat erstehen. Eine Travelcard für 7 Tage für die Zonen 1 und 2 (Innenstadtbereich) kostet z. B. 30,40 £, für die Zo-

135In Abb.: fo/Delphwimages

nen 1 bis 4 zahlt man 43,60 £. Wenn das Hotel etwas weiter außerhalb liegt, muss man darauf achten, welche Zonen man durchfährt.

Die **Oyster Card für Besucher** (Visitor Oyster Card) kann man ebenfalls an allen Bahnhöfen, den großen U-Bahn-Haltestellen, in Touristeninformationen (s. S. 109) oder online (www.visitlondon.com bzw. www.tfl.gov.uk) kaufen. Hierfür zahlt man eine einmalige Gebühr von 3 £. Auf dieser **Prepaidkarte** werden Einzelfahrten berechnet, man zahlt also immer nur so viel, wie man tatsächlich verbraucht hat. Man muss beim Einstieg in ein Verkehrsmittel die Karte über ein gelb markiertes Feld streichen und die Karte sucht selbstständig den günstigsten Tarif heraus. Wenn man mit dem Zug unterwegs ist, streicht man die Karte über ein pinkfarbenes Feld. Wenn das **Guthaben** aufgebraucht ist, kann man sie an den Bahnhöfen wieder aufladen. Wichtig ist, dass man ausreichend Geld auf der Karte hat, wenn man in weiter entfernt liegende Zonen fährt.

Wer sich für die **normale Oyster Card** entscheidet (d. h. nicht die Besuchervariante), zahlt eine Erstellungsgebühr von 5 £, die allerdings bei Rückgabe der Karte erstattet wird. Man kann seine Kreditkarte registrieren lassen und die Karte wird dann automatisch aufgeladen, sobald der Wert unter 8 £ fällt, ohne dass man sich zum Schalter begeben muss. Wer sich länger in London aufhält und oft zwischen Verkehrsmitteln wechselt, für den zahlt sich diese Oyster Card aus.

Taxi

In London hält man Taxis **per Handzeichen** an. Ein freies Taxi erkennt man an einem beleuchteten Schild mit der Aufschrift „For Hire". Kurze Strecken sind relativ preiswert, geht die Fahrt über einen Sechs-Meilen-Radius (ca. 10 km) hinaus, versuchen die Fahrer meist einen höheren Fahrpreis auszuhandeln. Taxis sind mit einem elektronischen **Taxameter** ausgerüstet. Es gibt Zuschläge für große Gepäckstücke und für Fahrten zwischen 20 und 6 Uhr. Ein **Trinkgeld** für Taxifahrer ist in Großbritannien **nicht obligatorisch.**

Alle Londoner Taxis können telefonisch bei der Zentrale bestellt werden. **Radio Taxis** (Tel. 72720272, www.radiotaxis.co.uk) oder **Dial a Cab** (Tel. 7253500, Kreditkartenbuchung Tel. 74263420, www.dialacab.co.uk) haben einen 24-Stunden-Service. Privat betriebene **Mini Cabs** sind billiger als die Black Cabs, vor allem nachts und an Wochenenden. Eine der größten und seriöseren Firmen ist **Addison Lee** (www.addisonlee.com, Tel. 0844 8006677), deren Fahrer Kunden in allen Stadtteilen Londons abholen. Einen speziellen **Taxiservice für Frauen** bekommt man bei Lady Cabs (Tel. 72723300, www.ladyminicabs.co.uk). Hier sind nur Fahrerinnen beschäftigt.

Bootsfahrten

Auskünfte zu Bootsfahrten erhält man bei den großen Veranstaltern:

› **Westminster Passenger Service Association,** Tel. 79302062, www.wpsa.co.uk.
› **Thames Clippers,** www.thamesclippers.com. Die Thames Clippers bedienen die östliche Themse bis Greenwich und vom Westminster Pier am Victoria Embankment kann man die westliche Themse bis Richmond befahren.

Versicherungen

Die **gesetzlichen Krankenkassen** von **Deutschland** und **Österreich** garantieren eine Behandlung im akuten Krankheitsfall auch in Großbritannien, wenn die medizinische Versorgung nicht bis nach der Rückkehr warten kann. Als Anspruchsnachweis benötigt man die **Europäische Krankenversicherungskarte**, die man von seiner Krankenkasse erhält.

Im Krankheitsfall besteht ein Anspruch auf kostenlose ambulante oder stationäre Behandlung bei jedem zugelassenen Arzt und in staatlichen Krankenhäusern. Für den Fall einer ernsthaften, langwierigeren Krankheit lohnt sich eine **Auslandsreisekrankenversicherung**. Diese sollte eine zuverlässige **Reiserückholklausel** enthalten, denn der Krankenrücktransport wird von gesetzlichen Krankenkassen nicht übernommen

Schweizer sollten bei ihrer Krankenversicherungsgesellschaft nachfragen, ob die Auslandsdeckung auch für Großbritannien inbegriffen ist.

Zur Erstattung von Kosten benötigt man ausführliche **Quittungen** (mit Datum, Namen, Bericht über Art und Umfang der Behandlung, Kosten der Behandlung und Medikamente).

Eine **Jahresversicherung** ist meist kostengünstiger als mehrere Einzelversicherungen. Günstiger ist auch die Versicherung als Familie statt als Einzelpersonen. Doch sollte man die Definition von „Familie" prüfen.

Für Autofahrer ist der **Europaschutzbrief eines Automobilklubs** ratsam.

Ob es sich lohnt, weitere Versicherungen wie eine Reiserücktrittsversicherung, Reisegepäckversicherung, Reisehaftpflichtversicherung oder Reiseunfallversicherung abzuschließen, ist individuell abzuklären. Gerade diese Versicherungen enthalten jedoch viele Ausschlussklauseln.

Wetter und Reisezeit

Es gibt eine **Wetterscheide** zwischen dem Norden und Süden Großbritanniens. Während es im **Norden** mehr und öfter regnet, wurde im **Süden**, zu dem auch London gehört, 2012 z.B. mangels Niederschlag der Wassernotstand ausgerufen.

Selbst im Februar/März steigen in London die **Temperaturen** oft bereits auf 18° C und auch im Winter misst man selten unter 8° C. Im Sommer liegt die Durchschnittstemperatur bei 25° C.

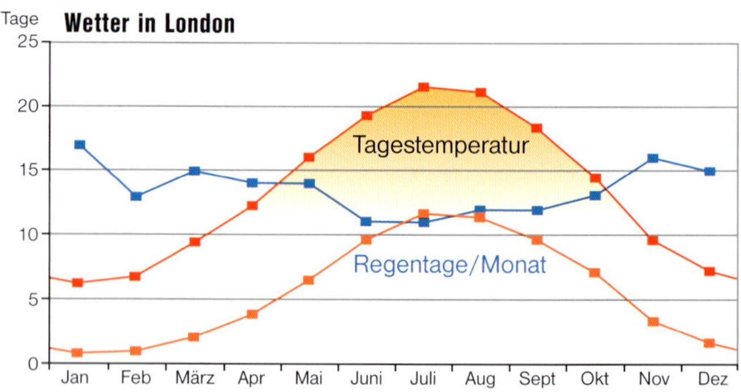

Anhang

Kleine Sprachhilfe

Die folgenden Wörter und Redewendungen wurden dem Reisesprachführer „Englisch – Wort für Wort" (Kauderwelsch-Band 64) aus dem REISE KNOW-HOW Verlag entnommen.

Häufig gebrauchte Wörter und Redewendungen

Zahlen

1	(wann)	*one*
2	(tuh)	*two*
3	(ðrih)	*three*
4	(fohr)	*four*
5	(feiw)	*five*
6	(ßikß)	*six*
7	(ßäwèn)	*seven*
8	(äit)	*eight*
9	(nein)	*nine*
10	(tänn)	*ten*
11	(ihläwèn)	*eleven*
12	(twälw)	*twelve*
13	(ðörtihn)	*thirteen*
14	(fohrtihn)	*fourteen*
15	(fifftihn)	*fifteen*
16	(ßikßtihn)	*sixteen*
17	(ßäwèntihn)	*seventeen*
18	(äitihn)	*eighteen*
19	(neintihn)	*nineteen*
20	(twänntih)	*twenty*
30	(ðörtih)	*thirty*
40	(fohrtih)	*forty*
50	(fifftih)	*fifty*
60	(ßikßtih)	*sixty*
70	(ßäwèntih)	*seventy*
80	(äitih)	*eighty*
90	(neintih)	*ninety*
100	(hanndrid)	*hundred*

Die wichtigsten Zeitangaben

yesterday	(jäßtèrdäi)	gestern
today	(tuhdäi)	heute
tomorrow	(tuhmohrrou)	morgen
last week	(lahßt wihk)	letzte Woche
in the morning	(in ðè mohrning)	morgens
in the afternoon	(in ðih_ ahftèrnuhn)	nachmittags
in the evening	(in ðih_ ihwèning)	abends
Sunday	(ßanndäi)	Sonntag
Monday	(manndäi)	Montag
Tuesday	(tjuhsdäi)	Dienstag
Wednesday	(wännsdäi)	Mittwoch
Thursday	(ðörsdäi)	Donnerstag
Friday	(freidäi)	Freitag
Saturday	(ßättèrdäi)	Samstag

Die wichtigsten Fragewörter

who?	(huh)	wer?
what?	(wott)	was?
where?	(wäèr)	wo?/wohin?
why?	(wei)	warum?
how?	(hau)	wie?
how much?	(hau matsch)	wie viel? (Menge)
how many?	(hau männih)	wie viele? (Anzahl)
when?	(wänn)	wann?
how long?	(hau long)	wie lange?

Die wichtigsten Richtungsangaben

on the right	(on ðè reit)	rechts
on the left	(on ðè läfft)	links
to the right	(tuh ðè reit)	nach rechts
to the left	(tuh ðè läfft)	nach links
turn right/ left	(törn reit/ läfft)	rechts/links abbiegen
straight on	(ßträjt on)	geradeaus
in front of	(in front_off)	gegenüber
outside	(autseid)	außerhalb
inside	(inseid)	innerhalb
here	(hi-èr)	hier
there	(ðäèr)	dort
up there	(ap ðäèr)	da oben
down there	(daun ðäèr)	da unten
nearby	(nihrbei)	nah, in der Nähe
far away	(fahr èwäi)	weit weg
around the corner	(raund ðè kohrnèr)	um die Ecke

+++ NEU: Die wichtigsten Wörter mit dem Bonus-Audiotrack des Kauderwelsch-

Die wichtigsten Floskeln und Redewendungen

yes	(jäß)	ja
no	(nou)	nein
thank you	(ðänk_juh)	danke
please	(plihs)	bitte
Good morning!	(gudd mohrning)	Guten Morgen!
Good evening!	(gudd ihwèning)	Guten Abend!
Hello! / Hi!	(hällou/hei)	Hallo!
How are you?	(hau ah juh)	Wie geht es Ihnen/dir?
Fine, thank you.	(fein ðänk_juh)	Danke gut.
Good bye!	(gudd bei)	Auf Wiedersehen!
Have a good day!	(häw_è gudd däi)	Einen schönen Tag!
I don't know.	(ei dount nou)	Ich weiß nicht.
Cheers	(tschiers)	Prost!
The bill, please!	(ðè bill plihs)	Die Rechnung, bitte!
Congratulations!	(kongrätuläischènß)	Glückwunsch!
Excuse me!	(ikßkjuhs mih)	Entschuldigung!
I'm sorry.	(eim ßorrih)	Tut mir Leid!
It doesn't matter.	(itt dahsnt mättèr)	Das macht nichts.
What a pity!	(wott_è pittih)	Wie schade!

Die wichtigsten Fragen

Is there a/an ... ?	(is ðäèr è/ènn ...)	Gibt es ...?
Do you have ... ?	(duh juh häw ...)	Haben Sie ...?
Where is/are ... ?	(wäèr is/ah ...)	Wo ist/sind ... ?
Where can I ... ?	(wäèr kähn_ei)	Wo kann ich ... ?
How much is it?	(hau matsch is_itt)	Wie viel kostet das?
What time?	(wott teim)	Um wie viel Uhr?
Can you help me?	(kähn juh hällp mih)	Können Sie mir helfen?
Is there a bus to ... ?	(is ðäèr è_baß tuh ...)	Gibt es einen Bus nach ...?
How are you?	(hau ah juh)	Wie geht es dir/Ihnen?
What's your name?	(wotts juhr näim)	Wie heißt du/heißen Sie?
How old are you?	(hau ould ah juh)	Wie alt bist du/sind Sie?
Where do you come from?	(wär duh juh kamm fromm)	Woher kommen Sie?
Excuse me?	(ikßkjuhs mih)	Wie bitte?

Nichts verstanden? – Weiterlernen!

I don't speak English.	(ei dount spihk in-glisch)	Ich spreche kein Englisch
Pardon?	(pahdèn?)	Wie bitte?
I don't understand.	(ei dount andèrständ)	Ich habe nicht verstanden
Do you speak German?	(duh juh spihk dschörmèn?)	Sprechen Sie Deutsch?
How do you say	(hau duh juh säi	Wie heißt das
that in English?	ðät in in-glisch?)	auf Englisch?
What does it mean?	(wott dahs_itt mihn?)	Was bedeutet das?

AusspracheTrainers auf PC oder Smartphone lernen (siehe Umschlag hinten) +++

REISE KNOW-HOW
das komplette Programm
fürs Reisen und Entdecken

Weit über 1000 Reiseführer, Landkarten, Sprachführer und Audio-CDs liefern unverzichtbare Reiseinformationen und faszinierende Urlaubsideen für die ganze Welt – *professionell, aktuell und unabhängig*

Reiseführer: komplette praktische Reisehandbücher für fast alle touristisch interessanten Länder und Gebiete **CityGuides:** umfassende, informative Führer durch die schönsten Metropolen **CityTrip:** kompakte Stadtführer für den individuellen Kurztrip **world mapping project:** moderne, aktuelle Landkarten für die ganze Welt **Edition REISE KNOW-How:** außergewöhnliche Geschichten, Reportagen und Abenteuerberichte **Kauderwelsch:** die umfangreichste Sprachführerreihe der Welt **Kauderwelsch digital:** die Sprachführer als eBook mit Sprachausgabe **KulturSchock:** fundierte Kulturführer geben Orientierungshilfen im fremden Alltag **PANORAMA:** erstklassige Bildbände über spannende Regionen und fremde Kulturen **PRAXIS:** kompakte Ratgeber zu Sachfragen rund ums Thema Reisen **Rad & Bike:** praktische Infos für Radurlauber und packende Berichte von extremen Touren **sound)))trip:** Musik-CDs mit aktueller Musik eines Landes oder einer Region **Wanderführer:** umfassende Begleiter durch die schönsten europäischen Wanderregionen **Wohnmobil-TourGuides:** die speziellen Bordbücher für Wohnmobilisten

Erhältlich in jeder Buchhandlung und unter www.reise-know-how.de

Weitere Titel für die Region von REISE KNOW-HOW

England – der Süden
H.-G. Semsek, St. Blank
978-3-8317-2297-6
540 Seiten

30 Ortspläne
Wanderkarten und Grundrisse
24 Seiten Atlas
22,50 Euro [D]

Cornwall / Kernow
H.-G. Semsek, St. Blank
978-3-8317-2291-4
276 Seiten

11 Stadtpläne
Übersichts- und Wanderkarten
5 Wanderungen durch Cornwall
14,90 Euro [D]

Reisepraktische Informationen von A bis Z | Sorgfältige Beschreibung aller sehenswerten Orte und Landschaften | Tipps für Aktivitäten | Ortspläne und Karten | Unterkunftsempfehlungen für jeden Geldbeutel | Hinweise zu allen Transportmöglichkeiten | Kulinarische Tipps | Ausführliche Kapitel zu Geschichte, Gesellschaft, Kultur & Natur | Kleine Sprachhilfen | Viele ansprechende Fotos

www.reise-know-how.de

Register

7th July Memorial S. 88

A
Albert Memorial S. 89
American Express S. 108
Anreise S. 104
Aquarium S. 72
Architecture Week S. 13
Architektur S. 40
Ärzte S. 112
Ascot S. 12
Ausgehen S. 31
Autofahren S. 105

B
Baishaki Mela S. 95
Banken S. 108
Bank of England S. 80
Bank of England
   Museum S. 36, 80
Banqueting House S. 56
Barbican Centre S. 83
Barrierefreies
   Reisen S. 106
Bars S. 32
Battersea
   Power Station S. 94
BBC Henry Wood
   Promenade Concerts
   – PROMS S. 14
Beating Retreat S. 12
Bed and Breakfast S. 122
Belgravia S. 92
Benutzungshinweise S. 5
BFI South Bank und
   BFI IMAX S. 73
Big Ben S. 58
Bistros S. 28
Bloomsbury S. 62
Bonfire Night S. 15
Bootsfahrten S. 127
Borough High Street S. 79
Borough Market S. 79
Botanischer Garten S. 102
Botschaften S. 107, 109

Brick Lane S. 95
British Film Institute
   (BFI) S. 73
British Museum S. 62
British Music
   Experience S. 100
Buckingham Palace S. 61
Burlington Arcade S. 50
Busse S. 46, 125
Butler's Wharf S. 68

C
Cabinet War Rooms S. 60
Cafés S. 28
Camden S. 101
Camden Market S. 101
Camping S. 124
Canary Wharf Tower S. 98
Carlyle's House S. 93
Cenotaph S. 57
Ceremony of the Keys S. 13
Changing the Guard S. 62
Charles Dickens
   Museum S. 36
Cheesegrater S. 81
Chelsea S. 92
Chelsea
   Embankment S. 94
Chelsea
   Flower Show S. 12, 94
Chelsea Old Church S. 93
Cheyne Walk S. 93
Chinatown S. 52
Chinese New Year
   Festival S. 12
Christ Church S. 96
Churchill Museum S. 60
City Hall S. 68
City of London S. 40, 80
City of London Festival S. 13
Cleopatra's Needle S. 87
Clink Prison Museum S. 77
Congestion
   Charge S. 46, 105
Courtauld Gallery S. 38, 87
Covent Garden S. 50, 55
Cutty Sark S. 98

D
Design Museum S. 68
Diana, Princess
   of Wales S. 88, 89, 91
Dickens, Charles S. 79
Diplomatische
   Vertretungen S. 107
Diwali S. 15
Docklands S. 41, 97
Docklands Light Railway
   (DLR) S. 124
Downing Street S. 57
Dr. Johnson's House S. 86

E
East End S. 95
EC-Karte S. 108
Einkaufen S. 17
Einwohner S. 46
Elektrizität S. 107
Eliot, T. S. S. 93
Elizabeth II. S. 48
Elizabeth Tower S. 58
Emirates Air Line S. 100
Englische Pfund S. 108
Entspannen S. 38
Eros-Brunnen S. 51
Essen und Trinken S. 23
Eurostar S. 105

F
Fahrkarten S. 126
Fahrräder S. 46
Fawkes, Guy S. 58
Feiertage S. 14
Fenton House S. 102
Ferienwohnungen S. 123
Feuerwehr S. 114
Film Museum S. 72
Fleet Street S. 85
Flohmärkte S. 18
Flughäfen S. 41, 104
Fortnum & Mason S. 51
Fremdenverkehrs-
   ämter S. 109
Freud Museum
   London S. 102

Register

Liste der Karteneinträge

Liste der Karteneinträge

Liste der Karteneinträge

Liste der Karteneinträge

Hier nicht aufgeführte Nummern liegen außerhalb der abgebildeten Karten. Ihre Lage kann aber wie bei allen Ortsmarken im Buch mithilfe unserer Kartenansichten unter Google Maps™ gefunden werden (s. S. 143).

Der Autor

Hans-Günter Semsek studierte Soziologie und Philosophie, darunter auch ein Semester an der University of London. Im Anschluss war er mehrere Jahre als wissenschaftlicher Mitarbeiter an der Universität Bielefeld/Fakultät für Soziologie tätig. Seine Laufbahn in der Reisebuchbranche begann er als Lektor in einem großen Kunst- und Reisebuchverlag. Danach arbeitete er als freier Journalist und Buchautor und verfasste u. a. mehrere Titel über Großbritannien und Irland für den REISE KNOW-HOW Verlag.

Hans-Günter Semsek verstarb 2011.

Redakteure dieser Auflage

Lilly Nielitz-Hart studierte Amerikanistik und Kulturwissenschaft und arbeitete mehrere Jahre für eine namhafte Kulturinstitution in Frankfurt und für ein Kreuzfahrtunternehmen in Großbritannien. Sie ist als Freie Journalistin, Autorin und Übersetzerin u. a. für Reisebuchverlage und Touristikunternehmen tätig.

Simon Hart, geboren in Leeds, studierte Geschichte und Archäologie und lehrte u. a. an der University of British Columbia. Heute ist er als Lehrer für Geschichte und Politik sowie als Autor tätig.

Beide sind mit den Britischen Inseln gut vertraut und haben in London gelebt. Von ihrem heutigen Domizil an der Südküste Englands ist es nur einen Steinwurf bis in die Hauptstadt, wo sie sich aus beruflichen und privaten Gründen häufig aufhalten. Im REISE KNOW-HOW Verlag sind von Lilly Nielitz-Hart und Simon Hart bereits die Bücher CityTrip Edinburgh und Kultur-Schock Großbritannien erschienen.

Schreiben Sie uns

Dieses Buch ist gespickt mit Adressen, Preisen, Tipps und Infos. Nur vor Ort kann überprüft werden, was noch stimmt oder was sich verändert hat. Unsere Autoren sind zwar stetig unterwegs und erstellen alle zwei Jahre eine komplette Aktualisierung, aber auf die Mithilfe von Reisenden können sie nicht verzichten.

Darum: Schreiben Sie uns, was sich geändert hat. Wenn sich die Infos direkt auf das Buch beziehen, würde die Seitenangabe uns die Arbeit sehr erleichtern. Gut verwertbare Informationen belohnt der Verlag mit einem Sprechführer Ihrer Wahl aus der über 220 Bände umfassenden Reihe „Kauderwelsch".

Bitte schreiben Sie an:
REISE KNOW-HOW Verlag Peter Rump GmbH, Postfach 140666, D-33626 Bielefeld, oder per E-Mail an:
info@reise-know-how.de
Danke!

Bildnachweis

Die Kürzel an den Abbildungen stehen für folgende Fotografen, Firmen und Einrichtungen. Wir bedanken uns für die freundliche Abdruckgenehmigung.

dt	Dreamstime.com
fo, Umschlag	Fotolia.com
hs	Hans-Günter Semsek
nh, Seite 2	Lilly Nielitz-Hart
sh	Simon Hart
ws	Wolfram Schwieder

Legende der Karten- und Textsymbole, Mit PC, Smartphone & Co.

Legende der Karten- und Textsymbole

 Hauptsehenswürdigkeit
Anlegestelle
Arzt, Apotheke, Krankenhaus
Bar, Bistro, Treffpunkt
Bed and Breakfast
Bibliothek
Botanischer Garten
Café, Eiscafé
Denkmal
Feuerwehr
Fischrestaurant
Galerie
Geschäft, Kaufhaus, Markt
Hotel, Unterkunft
Imbiss
Informationsstelle
Internetcafé
Jugendherberge, Hostel
Kirche
Moschee
Museum
Musikszene, Disco
Parkplatz, -haus
Polizei
Postamt
Pub, Kneipe
Restaurant
Sehenswürdigkeit
Sonstiges
Synagoge
Theater, Zirkus
vegetarisches Restaurant
Weinbistro

Railway-Station
Underground-Station (U-Bahn)

Shoppingareale
Gastro- und Nightlife-Areale
Stadtspaziergang (s. S. 8)

Mit PC, Smartphone & Co.

Unsere **kostenlosen Begleitservices** unter **www.reise-know-how.de** (auf der Produktseite dieses Titels):

★ **Alle Ortsmarken des Buches unter Google Maps™:** Springen Sie im Internet direkt aus unseren thematischen Listen an den genauen Punkt auf der Karte. Luftbildansichten, Fotos und die Streetview-Funktion zeigen ein genaues Bild des Objektes und seiner Umgebung. Weitere Funktionen wie Routenplaner und Verkehrsplan erleichtern die Orientierung vor Ort.

★ Smartphone-Nutzern empfiehlt sich der direkte Aufruf dieses Online-Kartenservices als Web-App unter: http://ct-london13.reise-know-how.de

★ **Faltplan als PDF mit Geodaten:** Nach dem Speichern auch mobil nutzbar auf allen Geräten mit PDF-Reader. Der aktuelle Acrobat Reader™ stellt Zusatzfunktionen für die Geodaten bereit. Für iPhone/iPad empfiehlt sich die App „PDF Maps" von Avenza™.

★ **GPS-Daten aller Ortsmarken:** einfacher Import in GPS-Geräte, Navis und Geosoftware auf PCs und mobilen Geräten

★ **Kapitel „Praktische Reisetipps" als kostenloses PDF:** Nach dem Speichern auch mobil nutzbar auf allen Geräten mit PDF-Reader. Darüber hinaus kann das Buch insgesamt oder eine persönliche **Auswahl einzelner Seiten als PDF käuflich erworben** werden.

 ★ **NEU ★ CityTrip als App:** Installieren Sie den **Reise Know-How Guide Store** aus dem iTunes Store bzw. Google Play Store und erwerben Sie buchbegleitende CityTrip-Apps mit vielen nützlichen Funktionen für die mobile Nutzung.

U-Bahn-Plan London